東方香霖堂 ~Curiosities of Lotus Asia.

著●ZUN　挿絵●唖采弦二

紙の価値が低下し、幻想郷に紙が溢れた。
僕が本を書き始めたその時、幻想郷の歴史が誕生した。

森近霖之助

目次

第一話 幻想郷の巫女と十五冊の魔力 前編

　昼下がりの白銀の幻想郷《げんそうきょう》。

　手付かずの自然に白い雪がしんしんと降り、幻想的な壮観を見せていた。遠くで妖怪の悲鳴の様な鳴き声だけが聞こえる。

　道は誰の足跡も付いていない新雪で覆《おお》われてる。この辺りまでは人間が訪れる事は余り無いのだ。

　道無き道を進むとようやく不思議な建物の店が見えてくる。主人は外の世界のストーブで暖を取りながら、意味も判らない本を読んでいるに違いない。いつもそうやって暇そうにしているのだ。

　店内には外の世界の品も多い。幻想郷は外の世界で言う明治時代に隔離されたが、その後の時代の品も多数有る。殆《ほとん》どが用途不明の品だった。

　店の看板には香霖堂《こうりんどう》の文字。古道具屋「香霖堂」はそこにあった。

「霖之助《りんのすけ》さん？」

　久々に店に誰か来た様だ。僕はまだ本を読みたかったがお客様は神様だ、居留守を使う訳にも行くまい。

「居るんでしょ？」

　赤い服を着た神様は、僕が居留守を止めるまでもなく既に後ろに居た。

「なんだ霊夢か。勝手に居間まで上がってくるなっていつも言っているだろ？」

「そんな事より聞いてよ。酷《ひど》い目に遭《あ》ったんだから――……」

　これだ。目の前の赤い少女は人の話を聞かない。少女の名前は博麗霊夢《はくれいれいむ》という。幻想郷で唯一の巫女だが本当に巫女かどうか疑わしい行動も取る。言い遅れたが僕の名前は森近《もりちか》霖之助。古道具屋を営んでいる。霊夢は肩の雪を払いながらやや早口で語り始めた。

「今日、人里まで買出しに出かけたんだけどね。買出しの内容？お茶が残り少なくなってね。死ぬ程辛《ほどつら》くなる前に買っておこうと思って……。まぁ死にはしないけど、って人の話聞いてるの？」

　君が聞かないから僕も聞いてないよ、と答えたかったが、あぁ聞いてるよ、と答えた。

「でね、良いお茶は無かったんだけど……。あ、関係無いけど、里の道祖神《どうそじん》様が雪に埋もれてたわ、誰が傘当番だったのかしらね。道にも迷うわ。そういえばあそこの道祖神の神体は何だっけ？」

　さて。ちょっと誘導してやらないと、用件に辿り着く前に神《じん》武《む》天皇の話まで飛びそうだ。

「障《さえ》の神、里を災いから防ぐ神だよ。酷い目に遭《あ》ったって、何が有ったんだい？」

「ま、買い物は何事も無く終わったんだけど」

　何事も無かったのか。

「その帰りにね、妖怪が呑気《のんき》に座っていたのよ。それに楽しそうに本を読んで！」

「別に良いんじゃないのか？」と言ってみたが無視された。

「何となく不意打ちで退治しようとしたんだけど、そいつ反撃してきたのよ。生意気にも強くてねぇ。まさか後ろから妖弾を出すとは思わなかったし。私も油断してたから……」

　妖怪の方が災難だったとしか思えない。しかし不意打ちしておいて油断してたって彼女に何が起こったのだろう。

「霖之助さん、人の話聞いてる？」

「ああ、聞いてないよ」

「……でね、まぁ、そいつはけちょんけちょんに退治して来たんだけど」

　どう答えても同じだったらしい。霊夢は、「ほら！」と言って後ろを見せ、こっちを向いて頬を膨《ふく》らました。

「このスカート、こないだ新調してもらったばっかなのに……」

「見事に切れているな。なるほど図々しくもそれを僕に直せという訳だ」

「今すぐにね」

　はいはい。霊夢が寒そうに見えたので、ストーブ脇にもう一人分のスペースを空けた。

「今すぐ、ってそんなに早くは仕上がらないよ。取り敢えずこっちに座り……」

　パタパタパタ……。

「この服借りるわねー。着替えるからちょっと待ってて」

　居ない。また勝手に店の奥の方に入っていった様である。本当に勝手な奴だ。

　やれやれ。僕は席に戻り、読みかけの本を取ろうとした——、が、伸ばした手は空気を掴《つか》んだ。本は少し高い所に浮いていたのだ。

「何読んでいるんだ？　香霖」

黒い影が言った。今日は朝から湯飲みが欠けたりして、嫌な予感がしてたんだ。

「あのなぁ。いつも言ってる事だがー」

「勝手に上がってる来るな。だろ？」

　どいつもこいつも……。目の前の黒い少女の名前は霧雨魔理《きりさめまり》沙《さ》。ちょっと言葉使いが独特な魔法使いである。霊夢とは仲が

良い。よく店に来るが、用が有るのか無いのか判らない。

「今日は何の用だ？　魔理沙」

「この本、まるで内容が判らないな。おっと、用は無いが帰らないぜ」

　用は無いのか。魔理沙は埃《ほこり》くらい払えよと言いながら、売り物の壷《つぼ》の上に腰掛けた。

「……それはシリーズ物の十二冊目だ、ここに積んである本の続きだよ。それだけ読んでも判らんだろう」

「あー、『非ノイマン型計算機の未来』？　タイトル見ても何の事言ってるのか想像も付かないぜ」

「外の世界の魔術書だ。君には縁の無い話だろうが僕には興味が有る」

「うーん、外の魔法……。それってどんな魔法なんだ？　香霖」

「まだ読んでいる途中なのだが……コンピューターといって、計算式を使い、命令通り使役《しえき》出来る物らしい。これは言うまでもなく式神の事だよ。まぁ、その式が何の力を利用しているかはよく判らないんだが」

「ふーん、式神か。……あれ？　こっちの荷物は霊夢の物じゃないのか？　霊夢が居るのか？」

　魔理沙は式神には興味が無いのか、話題を切り替えようとした。僕はさっき霊夢が来たいきさつを話した。魔理沙は霊夢ら

しいな、とか相槌《あいづち》を入れつつ霊夢の荷物を弄《いじ》っている。彼女はその荷物から三冊の本を取り出した。

　僕は軽い衝撃を受けた。その本はこの十二冊の本と同じシリーズ物だったのだ。何で霊夢がそんな物持ってるんだろう……。

「ん？　この本が気になるか？　霊夢の事だから『妖怪が大事そうに持っていたから持ってきた』とか言うぜ」

　この本は手元の十二冊とその三冊を合わせて十五冊。恐らくこの本は全十五冊に違いない。外の世界の式神もやはり幻想郷と同じなのだ。コンピューターではFとは十五の事を示し、Fはすべてが埋まっている状態らしい。すべてがFになった時に最大の値を持つ、と書いてあった本も読んだ事が有る。

　僕は思う、十五が力を持つのは当たり前じゃないか。古くからこの国では十五は完全を意味していた。満月を十五夜と呼ぶのも同じ理由だ。コンピューターとは東洋の思想と月の魔力を利用した式神なのだろう。

　魔理沙は、何を考え込んでいるんだ？　と言って三冊の本を並べた。

　魔理沙の何気ない行動で、更なる式神の仕掛けに気付いてしまった。本に付けられた通し番号「十三」「十四」「十五」。この番号を並べると一三一四一五。頭の一を取れば……直線を円に換える意味を持つ数、三．一四一五になる。これも満月を意味している。外の世界の式は月の力を利用した物である、という僕の説は確実なものになった。

　僕はもっと外の式神を調べたいと思ったが、その為にはこの本を手に入れる必要がある。

「……香霖。霊夢と取引するつもりだな？　止めときな、あいつは普通の価値観を持っていないぜ」

たしかに、霊夢は浮世離れし過ぎている。普通の交換条件は役に立たないのだ。しかし僕は霊夢と取引出来る。霊夢の価値観も大体判っている。

その時、持ち主の戻ってくる足音が聞こえた。

第二話　幻想郷の巫女と十五冊の魔力　後編

「お待たせ。もー、この服ちょっと大き過ぎよ。歩きづらいじゃないの」

霊夢は戻って来るなり不満を言い放った。まぁ僕の服だから仕様がないだろう。霊夢とはかなりの身長差が有る、というか勝手に僕の服を着てるのだが。

「あれ？　魔理沙じゃない。何でこんな所に居るの？」

「それはこっちの台詞だぜ。私は、何か新しい物が入荷してないか見に来ただけだ。まっとうな客だぜ」

「霊夢。僕の店を指して『こんな』所ってのはないんじゃないか？」

「いつ来ても客が居た事なんか無いじゃない。場所も悪いのよ」

客と言ったはずだぜ、魔理沙はそう言いながら僕が読んでいた本を読み始めた。霊夢は勝手に戸棚から急須《きゅうす》を出してお茶を淹れ始めている。いつも通り勝手な奴らだ。客でもないし。

僕は霊夢の本を横目に見つつ、この本を僕の物にする為には本の存在に気付いていない振りを見せなければいけない、と考えていた。

「ともかく服の仕立て直しは引き受けてやろう。だがな、ただじゃない事くらいは判っているよな？」

霊夢は振り向きもせず「どうして？」と言った。

「どうして？　だぁ？　商《あきな》いというものはそれ相応の代価を払う事で成り立っているんだよ」

「そのくらい知ってるわよ。ちゃんと普通に買い物する時はお金を払っているわ。うちの神社だって願い事を叶える代価にお賽《さい》銭貰《せんもら》っているし」

「うちの店は普通ではないとでも？」

「霖之助さんはお金なんかに興味無いでしょ？」

「いつそんな事言ったんだよ。勝手に決め付けるな」

「いつもお金なんて取らないじゃない」

「何言ってるんだよ。今まで受けてきた仕事も持っていった商品も、全部ツケだぞ」

霊夢は湯飲みにお茶を注ぎながら、

「だって、私はお金を持ち歩いていないわ。家に帰っても無いけど」

「誰も賽銭《さいせん》入れないもんな。君の神社で祈っても願い事は叶《かな》わないんだろう?」

「あ、急にそういう事言い始めたって事は、霖之助さんの目当てはこの本でしょう?」

　霊夢は湯飲みを置いて僕の隣に座り、もうすぐ僕の物になる予定の本を手繰《たぐ》り寄せた。

「……霊夢のツケは、そんな本程度で払える様な値段じゃないよ」

「この本はね、私が退治した妖怪が大事そうに持っていたから持って来たの。きっと価値は有るわ」

　魔理沙がこっちを見て『言った通りだろ?』って顔をしたので、腹の内では笑いそうだったがそこは堪《こら》えて、

「どれどれ見せてみな。……うーむ、なるほど。作りは良いんだが割と新しい物だな、こういう物は古い方が価値有るんだよ。やはり大したもんでもないな。『妖怪にとって珍しい物』だったので持っていただけだろう」

「じゃぁ、その本と今までのツケ、交換で良いわね」霊夢はニヤリとしていた。

　彼女は人の話を聞かないし物の価値という概念も持っていない。恐らく彼女にとってはお金の価値も紙や金属以外の何物でもないのだろう。だが、僕が欲しがっている事はやんわり伝わった筈だ。何しろ……。

「仕様がないな、その三冊は貰ってやるよ」

「あれ? 三冊全部?」

「一つは服の仕立て直し代、一つは今着ているその服の貸し代、そしてもう一つは……」

「あー、ちょっと待って、今までのツケ全部とじゃないの?」

「おいおい、ツケって幾ら有ると思ってるんだい。とてもじゃな

いけどそんな本程度じゃ全部は払えないよ」

それは本当だ。霊夢は店の物を持って行く、服や道具作成の依頼もする。お祓い棒も僕が用意した物だ。

「仕様がないわね。残りはツケのままでいいわ」

窓の外を見た。そうだった。今朝から嫌な予感がしていたのだ。

「ちなみに最後の一つは――、『扉の修繕《しゅうぜん》代』だ！」

――ドンドンバン
店の扉が強く叩かれ悲鳴を上げていて今にも取れそうだ。本一冊では割が合わなかったかも知れないな……。

「さっきの赤いの、居るのは判っているわ！　ヒトの本勝手に持ってったでしょう！」

扉の下にはかんかんに怒った小さな女の子が見える。服がぼろぼろだ、さっき霊夢が退治したと言っていた妖怪だろうか。

「まったくしつこいわね。私に負けたんだから大人しく森に帰ってればいいのに！」

「あれー？　赤くない」

「今日はブルーなのよ」

「とにかく、私の本返してもらうわ！」

「まぁ返せってもねぇ、既に私の所には無いのよ。諦《あきら》めなさい」

「酷《ひど》い……それで今は何処《どこ》に有るのよ！」


すでに僕の物である、もちろん渡す気は無い。だが僕は、荒っぽい事は出来ないたちなのだ。それでよく生きていられるね、と彼女たちは言うが、僕はそれが普通だと思っているし、彼女たちの「何倍も」永《なが》く生きている。……僕は霊夢を睨《にら》み付けた。

「……ほらっ、魔理沙！　あんた暇そうにしてるじゃない」

「あー？　何だ？　自分が撒《ま》いた種だろうが。一人でやれよ」

「こんな服じゃまともに動けないのよ。大して面倒じゃない相手よ、魔理沙なら。……でも、後ろからの攻撃に気を付けてね」

「復讐の相手を私にやらせようっていうのか。まったく霊夢って奴は……」

魔理沙は壷《つぼ》の上からひょいっと飛び降り、何だか機嫌良さそうな歩行速度で女の子の前に向かった。

「お代はツケでね」

もちろん、霊夢が魔理沙にお金を払っている所など見た事無い。

「出てきたぜ。赤いのはあんたには完敗だそうだ。代わりに親が相手してやるぜ」

「……親って何よ。どう見ても親子じゃないでしょ！」

「あいつは捨て子だったんだよ」

霊夢は再び席に戻りお茶を飲んでいる。

「闘うなら店の外でやってくれ。これ以上破壊されたら君から弁償代を払ってもらうからな」

「判ってるぜ」と言って魔理沙は強引に妖怪を外に追い出した。

「それはともかく、香霖、十五冊全部揃《そろ》って良かったな」

　驚いて魔理沙を見た。僕がさっき思い付いた十五完全説を話した記憶は無い。

「どうして、全十五冊だと思ったんだい？」
　魔理沙は持っていた本を投げてよこした。
「その本の裏を見てみろよ」
　僕は本を裏返して裏表紙をめくった。そこには小さく「全十五巻」と書かれていた。

　外は雪が舞っている。扉は早く修理しないと辛《つら》い。

「まったく、霊夢が店に来るとろくな事が無い」

「この店自体がろくな事が無いのよ。はい、お茶」

　僕は隣に座って霊夢が淹れたお茶を受け取った。差し出されたお茶は凄《すご》く良い香りがした。

「あ、このお茶。棚の奥に有ったお茶使っただろ」

　てっきり霊夢が買ってきたお茶だと思っていたのだが、

「そのお茶が一番良い香りがしたのよ」

「一番貴重なお茶だ。特別な時の為に取って置いたのに……」

「あら特別じゃない日なんて有るの？」

　霊夢はすっかりくつろいでいて、機嫌も良さそうだった。外からは楽しそうに笑う魔理沙の声と妖怪の悲鳴が聞こえてくる。

　わりといつもの事である。僕にはとても特別な日とは思えなかった。

「霖之助さん。どうせその本売らないんでしょ？　周りの商品もずっと変わってないし」

店の大半はコレクションであり、確かに余り手放したくない。

「いや、すべて売り物だよ」

――僕は商売人向きではないのかも知れない。

第三話
幻想の鳥

「おい香霖！　何やってるんだ、今日は恒例の鍋の日だぜ」

　という騒がしい音と共に扉が開けられた。僕の中では、今日は恒例の動物愛護の日である。

「なんだ魔理沙か。来るなり鍋の日とはどういう意味だ？」

　魔理沙は右手を挙げて見せたのだが、そこにはぐったりとした紅白の塊《かたまり》が……。


　幻想郷の人里から離れた魔法の森、その森のすぐ近くに僕の店「香霖堂」は在る。つまり人間の住む所と魔物のそれの中間の場所だ。この場所なら人間相手にも妖怪相手にも商売が出来るかと考えていたが、実際はどちらからも「客」が来る事は殆《ほとん》ど無かった。まぁ賑《にぎ》やかなのが来る事は有るのだが……。


「それは朱鷺《とき》じゃないか。どうしたんだ？」

「ああ、神社でちょいと捕まえてな。霊夢は鍋の準備をするってんで遅れて来るぜ」

「何で勝手にうちで集合なんだよ？」

「何言ってるんだ、こいつは美味いんだぜ。見た目は悪いけど……」

　朱鷺、幻想郷で年々増えつつある鳥である。どこから湧いてくるのか多い時には空が鴇色《ときいろ》に染まる事も有る。だが、朱鷺の肉は美味《びみ》だが見た目は良くない。鍋も……鴇色というか朱《しゅ》色に近い色に染まる。言い方は悪いが、吸血鬼が作った人間の鍋みたいに見えるのだ。

「まぁいいけど、何で突然鍋だと……」

「決まってるだろ？　気温の低い日は鍋の日だ」

　まぁこの朱鷺はたまたま拾っただけ、さっきまで活《い》きが良かったんだけどな、と言いながら魔理沙は勝手に台所に入って行った。


　幻想郷は文字通り幻想の生き物が棲《す》む。いつの間にか外の世界の人間は、「幻想の生き物」とはただの「空想の生き物」の事と刷り込まされている。だがもちろん、幻想の生き物と空想の生き物はまったくの別物だ。空想の生き物とは、ただの妄想と復号失敗と勘違いの別名だ。それに対し、幻想の生き物とは幻想郷にしか居ない生き物の略である。言うまでも無く、僕も魔理沙も幻想の生き物である。

しかし、なぜ朱鷺《とき》が急増したのかは僕にも判らない。まさか朱鷺も「幻想の鳥」となってしまったのだろうか。僕が知っていた頃の外の世界では考えられない事だが、まぁ、あれから時間が経《た》ち過ぎた。限られた素材と古い記憶だけで外の世界をいくら想像しても、それはただの空想に過ぎないのだろう。想像を憑拠《ひょうきょ》にした想像はただの空想だ。想像とは、空想、妄想、予想、仮想、幻想、の順でランクが付けられている。

「お待たせー、魔理沙も居るわよね」

「……待つも何も、突然やって来たんだからそんな余裕も無いじゃないか」

「そりゃ、突然行ったんだから当然よ。けど、どんな時でも待っていればいいのよ。それがお店ってものでしょ？」

魔理沙の予告通り霊夢がやって来た。手に色々な荷物を抱えているが、鍋の材料だろうか。

「おう霊夢、待ってたぜ。早速鍋の準備だ」

魔理沙は手を出し「ほら渡せ」、といった感じの仕草《しぐさ》をしている。

「持って来たわよ。はい」

「あー？　こりゃ赤味噌だ。誰が赤味噌なんか持って来いって言ったんだよ」

「誰が言っても言わなくても、朱鷺汁は赤味噌に決まってるのよ」

「おいおい、ただでさえ赤い鍋なんだから白味噌にしろよ。赤汁に赤味噌か？　お前はコミュニストか？」

「色で食べる訳じゃないの。最初から赤ければ朱鷺肉の赤も気にならないでしょ？　それに白味噌じゃぁ……、源平合戦じゃない」

二人とも色で食べている様にしか聞こえない。それにしても魔理沙は朱鷺を掴《つか》んでいるので、彼女が力《りき》むと朱鷺も鳴く。まるで朱鷺が魔理沙に相槌《あいづち》を打っている様に見えておかしい。魔理沙もわざとやっているに違いない。

「とんこつに紅しょうがをのっけるだろ？　味噌ラーメンに乗せるか？」

「カレーに福神漬けを付けるでしょ？　魔理沙はクリームシチューに福神漬けを付けるのかしら」

「あの白色の中にある赤色には日本人の魂が宿ってるんだよ」

「そんな紅白……私だけで十分よ。魔理沙のどこに日本人の魂があるってのよ。侘《わ》び寂《さ》びって何だか判る？」

「それは、霊夢の方が似合わない気もするぜ」

「もちろん、私には判らないわ。」

「とにかく、そんなんじゃ私は鍋は作れんな」

「あんたが鍋にするって言い出したんでしょ？　朱鷺は生では食べられないわ」

「そういう問題か？　まぁいい、とりあえず捌《さば》くだけ捌いておくか。」

「裁《さば》くの？」

「ああ、それもいいかも知れないな。ちょっとやるか？」

　結局、一切僕には相談もせず二人は決闘で決着を付ける事にした様だ（勝手に僕の店に来たくせに）。ルールは一対一のスペルカードルール、霊夢が勝てばそのまま鍋に、魔理沙が勝てば白味噌を取りに行かせるつもりらしい。別に白味噌ならうちにもあるのだが、楽しんでるみたいなので放っておこう。さらに言えば、僕は朱鷺の一番美味しい調理法も知っているのだが……。


「魔理沙、いつも言ってる事だがー」

「闘うなら外でやってくれ。だろ？」

「そんな事より霖之助さん、魔理沙の代わりに捌いておいてね」

　既に二人の目的はすり替わっている。結果がどうであれ、僕が勝手に調理しても喜んで食べるだろう。もしかしたら、最初からこういうシナリオを用意してるんじゃないかと思えるくらい、いつものパターンだ。二人はどうでも良い事を決闘で決着を付けるのが多い。しかも最近は飛び道具で闘う事が多く、大変眩《まぶ》しい、目に優しくない。

　二人の決闘はいつも対照的である。一生懸命な魔理沙に対し霊夢は、わざとか性分《しょうぶん》か呑気《のんき》な闘い方をする。勝負は大体霊夢の方に分《ぶ》が有るのだが、魔理沙も負けてはいない。ただ、技と力で攻める魔理沙と空気の様な霊夢。ぬかに釘というか……。どうにも、霊夢が見ている物は僕たちとは違う世界の物の様な気がしてならない。そのくらい、掴《つか》み所が無いのだ。


「あぶないわね！　魔理沙、当たったらどうするのよ。まったくもう……」

「ああもう、何で当たらないんだよ！」

「魔理沙の弾は勝手に避けていくわ。親切ね！」

「まっすぐだぜ……」


二人の声が聞こえてきたので様子を見てみた。霊夢は時折テレポート（零時間移動）している様に見える。弾もあらぬ方向から誘導で飛んでいる。割とずるい。

さて、この朱鷺《とき》は丸々としていて美味しそうである。こんな朱鷺は見た事が無い。そういえば魔理沙が気になる事を言っていたな……。


「お待たせ～、さくっと決着を付けてきたわ」

「ああ、いつでも待たされているよ。鍋はもう作っておいた、予定通り赤味噌だ」

「むー、鍋がもう出来てるじゃないか。香霖、もし私が勝っていたらどうするつもりだったんだよ」

「朱鷺を一番美味い調理法で食べさせていたさ」


博麗神社は幻想郷の外《はず》れに在る。外れといっても場所的にというだけではない。外の世界と幻想郷の境目《さかいめ》に在るのだ。その

ため、博麗神社は完全な「幻想の場所」ではない。魔理沙は朱鷺を「神社で捕まえた」と言っていた、もしかしたらこの朱鷺も外の世界の物かも知れない。まだ朱鷺も幻想の鳥ではなさそうで、僕は少し安心した。

第四話 完全で瀟洒なティータイム 前編

外の世界の物であるストーブがしゅんしゅんと音を立てている。よく判らないスイッチは付いているのだが、押しても何も起きないので使い方は僕オリジナルである。最近は火の勢いが良過ぎる時もあり、少々危険だ。

火といえば、最近幻想郷は火葬《かそう》が増えてきた様だ。今までは、人間は死んだらすぐに消滅していた為――まぁ、妖怪の食料になっていたんだろう――ほとんど火葬が行われる事は無かった。最近は、妖怪も高級志向になってきたのか、屍肉《しにく》を喰らう者が減ってきたみたいである。幻想郷の人間にとってみれば、衛生面でも精神面でも亡骸《なきがら》をほったらかしにする訳にもいかず、仕方がなく火葬している様である。

それは同時に、新たに妖怪が生まれる機会を減らしてんじゃないだろうか？　……人間が人間以外になるチャンスは少ない。有ったとしても、その殆《ほとん》どは死んだ時なのだ。火葬では、僵屍《キョンシー》や吸血鬼といった者に変化する事も難しくなるだろう。

まぁそれは良い事かも知れない。その上、灰となる事で新しい妖怪に生まれる時もある。特に幽霊にはなりやすいかも知れない。

そういえば最近は幻想郷に幽霊が増えてきた気がするのだが、これも火葬の影響なのか、そうじゃないのか……。でも、最近の幽霊は陽気で楽しそうであるな。だが、そもそも幽霊というのは幻想郷にとっての――。

❖

――カランカラン

誰か来た。でも「いらっしゃいませ」と言うのをためらった。大抵、来訪者の方から騒がしく喋り始める上に、客でもないからだ。

「誰かいます？」

「ああ？　あぁ、いらっしゃいませ。何か御用ですか？」

「ちょうど良いティーカップを探しているんだけど、ここに置いているかしら？」

そこにはメイド姿の少女（しかも頻度は低いがお得意先である！）が立っていた。珍しく予想が外れたのだ、といっても、予想は一種類しかないから、お客が来れば常に外れだが。

「ええ、もちろん有りますよ。どんなカップをお望みですか？」

「ちょっと小さめで、かわいらしくて、白くて……。そう、紅《あか》い液体でカップの白が引き立つような。それで、そんなに重たくなくて、でも問題は形が少し複雑なんだけど……、それは見てから決めるわ。で、それを二組」

「えーと、そうですねぇ」

注文が複雑だ。まるでカップ鑑定人の認定試験の様である。これはかなり難しい問題だ。商品の山の中で、カップのあった場所を思い出しながらでは少々難し過ぎるかも知れない。

「……カップはいろいろ有るんですが、紅茶用ですよね？」

「まぁ、そんな様な紅茶風用ですわ」

「紅茶用は確かこのへんに有った様な……」

幻想郷では紅茶や珈琲《コーヒー》といった嗜好《しこう》品はメジャーである。異国の文化を持ち込む妖怪や、自然と流れ着いた道具や本などによって定着していった。幻想郷は空間は閉鎖的でも、精神は国際的なのだ。

さて、一つのアンティークケースを発見した。確かこのケースには、僕のお気に入りが二組入っていた筈である。

「あったあった、これならきっと気に入って頂けると思う……!!」

ケースを開けてみて愕然《がくぜん》とした。そこには僕が予想した形の物は入っていなかったのだ。一組のティーカップと、昔はカップだった破片が何枚か……。そう、僕のお気に入りは無残にも割れていたのだ。

❖

「どれですか？」

「あ、いや。ちょっと」

落胆《らくたん》していたが、そのケースには一枚の和紙が入っているのに気が付いた。何だろう、紙に手を伸ばした、が。

「ふーん、これは魔理沙の字っぽいわね？『すまん』だって？どういう意味かしらね」

「!?」

何が起きたのだ？ 何故《なぜ》か紙は掴《つか》めなかった。本当に「何故か」だ。気が付いたらこの娘が持っていた。

「はい。お返ししますわ」

手渡された紙を見た。その紙には「すまん」とだけ書かれてある。……魔理沙の奴、今度遊びに来たらどうしてくれようか。

さて、僕はすぐに混乱から復帰していた。理解できない事は気にしない様にしている。そうでもないと幻想郷で生きてはいけない。

「そうね。あなたの言う通り、確かに気に入ったわ。これ、頂けるかしら？」

前言撤回。僕はまたしても混乱した。割れたカップを気に入るのか？

「え？ そ、そうですか？ まぁ僕のお気に入りですし……、それにあまり普通じゃないですしね」

小さいといえばこの上なく小さいし（何しろ破片だからだ）、重くもない。注文通りである。
「かわいいし、紅いお茶にも映えそうだし。お嬢様の注文にぴったりだわ」
まぁ触れると血は出そうだが……。

――カランカランカラッ
「ちょっと！　咲夜《さくや》、居るんでしょ？」

今度は外《はず》れではない。普段はこんな風に扉が開いてから三秒以内には騒々しくなるのだ。もちろん、この赤色は客ではない。

「あれ？　霊夢じゃない。いつ神社に戻ってきたの？　それにお嬢様まで……。」

「戻ってきたの？　じゃないでしょ！　人が居ないと思って神社に勝手に上がり込んで！　おまけにこいつ置いていかれたら、何されるか判ったもんじゃない」

「何もしてないわよ。神社にちょうど良いカップも無かったし、ティータイムにもならなかったわ」

「勝手に上がり込んでお茶もへったくれも無いでしょ！」

どうやら、他人の家に勝手に上がり込むのは幻想郷の少女たちの伝統らしいな。

ちなみにお客様の名前は咲夜。それと霊夢が連れて来たお嬢様はレミリアという。咲夜はレミリアお抱えのメイドだが、このお嬢様、見ての通り吸血鬼である。今回は散歩中に神社に立ち寄ったらしい。

「散歩中でも、お茶の時間は必須なの。当然素敵なカップでね」

「レミリア。だいたい、何であんた昼間にうろちょろしてんのよ。

吸血鬼のくせに。棺桶《かんおけ》にでも入ってれば良いでしょ？」

「私だって日光浴見ぐらいはするわ。ちなみに棺桶は死人が入る物。あなたは何か勘違いしてるわ」

日光浴見とは、日光浴をしている人を鑑賞する事らしい。

「とにかく、悪魔の居る神社とか噂されたらどうするのよ！」

「何もしないわよ。それに賽銭《さいせん》箱は空だったわ。」

「でも、神様の居ない神社よりは御利益《ごりやく》有りそうですわ。ねぇお嬢様」

「神様不在って言うなー！」

博麗神社の由来を知っているのはどうやら僕だけの様だ。ここは霊夢の名誉挽回の為にも教えてやろうかと思ったが……、どうでも良いと却下されてしまった。寂しい。

「そうそう、咲夜。素敵なティーカップは、見つかった？」

「ええ、見つかりましたとも。たいへん素晴らしい品ですわ」

そうだった、僕はまだ混乱している最中だったのだ。何しろそのカップ、片方はこなごなである。

「お嬢様、これで見えますでしょうか？」

咲夜はケースの蓋《ふた》を空け、お嬢様に見える高さまで下げた。

何故《なぜ》割れたカップで良いのか。もしかしたら、ある種の謎かけだったのかも知れない。そうだ、片方が割れている事に意味が有るのだ。たとえば、紅茶と破片で血の池と針の山、という地獄の「見立て」だとか……。悪魔とメイドだし、きっとそうに違いない！

だが、カップを見たレミリアも疑問と困惑の表情をしていた。それは予想以上に人間的な反応だった。

第五話　完全で瀟洒なティータイム　後編

「あー？　これはいったい何？」

　レミリアは気だるそうに箱の中を指差した。

　まぁ、もっともな反応だろう。咲夜はティーカップを買いに来て、割れたティーカップを手に取っていたのだ。レミリアの命令で何かおかしな事を企《たくら》んでいたのかとも考えたが、どうやらそれも違うらしい。意外だがレミリアの方が意思の疎通《そつう》が出来そうだ。

「え？　何って……、ティーカップですが。お気に召さなかったのでしょうか？」

「えらく前衛的なデザインね。たとえば取っ手を持っても全体の三分の一も付いてこないし、まるでカップとは思えないあたりが……。でも、もう少し液体が入る部分が多くてもいいんじゃないかしら」

「でも、この柄《がら》が良いじゃないですか。私は、こういう落ち着いて高級感のあるアンティークな柄が好きなのですよ。それに店主のお気に入りでもあるそうですし、ねぇ？」

「柄はともかく……。変わったのがお気に入りなのね、店主も」

　レミリアが訝《いぶか》しむ様な、哀れむ様な目で僕を見ている。それは〝元〟お気に入りだ。僕が割れたカップを押し付けたみたいに思われると困るのだが。

「あら、この紙は何かしら？」

　ケースに一緒に入っていた紙は、魔理沙の詫《わ》び状である。

「多分、鑑定書か何かだと思いますわ」

「こんな、『すまん』と、だけ書かれた鑑定書が有るの？」

「『鑑定出来ませんでした』って鑑定書」

「まるで、『種も仕掛けもございません』って言う手品師の前置きみたいね」

　そのたとえは、難度が高い。


　霊夢は、二人の言葉遊びに飽きたのか、一人でティータイムに入っている。そういえば、何故かうちには霊夢専用の湯飲みが有るんだよな。

「もう一度聞くわ、咲夜。これはいったい何？」

「ですから、アバンギャルドなティーカップですわ」

「私は、そんな注文したかしら」

「確か小さくて、重くなくて、普通っぽくなくて、かわいくて……」
「まぁ、これもかわいいけどね」
かわいいのか？
「それに、神社にあった奴より高級感漂《ただよ》ってますでしょう？」

「確かに、形も似ているけど……」

形も似ている？　神社にこんなアバンギャルドな（原型をとどめていないという意味だが）カップが有るのか……それを聞いて霊夢が、

「そんなカップ知らないわよ？」

「あぁ、霊夢は知らないか。咲夜を送り出すちょっと前には有ったのよ」

「お嬢様、それでは判らないですわ。私たちが来た後に、カップがアバンギャルドに変形した、のですよ」

「あぁ？　あんたら私のカップ割ったなぁ？」

しばらく霊夢の怒りの言葉の弾幕が店中に響いた。

そうか、そういう事か。霊夢のティーカップを割ってしまったから、代わりを買いに来たって訳か。って、それで割れたカップを買ってどうする？

「咲夜、確かに私は、霊夢のカップと同じ様なやつが欲しいと言ったわ。でもね、それは最終形態の物じゃなくて、変形前の物よ。そんな事も判らないのかしら？」

「え、そうなのですか。てっきり、霊夢とお揃《そろ》いのカップがお望みなのかなと……」

「これじゃお揃いも何も、混ざるわよ」

「でも、普通のカップを買っても『何やってるの？　形が全然違うじゃない』とか、言うつもりだったのではないですか？」

「そんな事……言わないわ」

多分言うんだろう。メイドもこの幼い（といっても五百年以上は生きているらしいが）意地悪お嬢様相手に大変そうだ。ただ、割れたカップが欲しいなら、普通のカップを買って後で割れば良いんじゃないのか？　と思ったが、その辺が幻想郷の彼女たち独特の洒落《しゃれ》なんだろう。深く考えると疲れる。だから、僕は「理解できない事は気にしない」と考える事にしているのだ。

「判りましたわ。普通のカップが欲しいのですね？」

「咲夜がそう思うなら、お好きにしてよ」

「もちろん、私がそう思っただけですわ」

やれやれ、こいつらも霊夢たちとはまた別の種類の面倒な奴らだな。とにかく、別のティーカップを探してやるか、と思った瞬間、咲夜の声が、

「じゃぁ、このティーカップはゴミね」

なんだって、ちょっと待て！　慌てて振り返って咲夜を見たが手遅れだった、ケースごとカップを高く放り投げていたのだ！

――カップと破片が宙を舞う！　時間がゆっくりと流れた、そう錯覚するくらいの緊張が走った！　一組のまだ割れていないカップも有る。というか割れていても放り投げる奴がどこに居る！　またお茶を飲んでいた呑気《のんき》な奴ですら、驚いているじゃないか！　むしろ霊夢が驚いて湯飲みを落とさないか心配してしまう。レミリアの方はというと、蝙蝠《こうもり》風の羽をピンと伸ばしている。あれは緊張なのか驚きなのかよく判らないが……。

……って、カップが落ちて来るまで結構余裕有るな。というか、ケースはとっくに落ちているじゃないか。まぁ、時間を考えると当たり前か……。宙には魔理沙が書いた「すまん」という紙がヒラヒラと舞っている。

「さぁどうかしら。本当の手品というものには、じつは、種も仕掛けも無いものですよ」

床にはカップの破片一つ見当たらない！　驚いて咲夜を見たのだが、何と不思議な事にその手にカップを持っていた。だが、それ以上に不思議な事に――。

結局、ティーカップは無事に売れ、二人は店を出て行った。レミリアは咲夜の手品に大喜びの様子だった。霊夢はしばらく唖然《あぜん》としていたが、二人が神社に向かっている事を思い出したんだろう。飲みかけのお茶を置いて慌てて追いかけていった。

僕はというと、咲夜がどうやって投げたカップの破片をすべて集めたのか、しかもどうやって「割れていたカップを完全な形に

戻した」のか判らなかった。ずっと狐につままれたままだった……。

数日後。「理解できない事は——」の持論に従い、無事混乱から復帰出来た。ちょうど魔理沙が遊びに来たので、カップを割っ

た事を叱りつつ、事の顛末《てんまつ》を話して聞かせた。魔理沙の口癖「普通だぜ」から始まる説明によると、どうやら咲夜にはそういう能力が有るらしい。それは「時を止める能力」だそうだ。なるほど、それならカップを放り投げても、割れる前に拾い上げる事も出来るだろう。確かに種も仕掛けも無いとも言える。

だが待てよ……、その能力では割れたカップを元に戻す事は出来ないだろう？　どうもおかしい。止《よ》せば良いのに僕は思い返していた。そう、一つだけ時を止める能力でカップを元に戻す手段がある。それを考えれば考える程、僕の頭の中はある一つの疑念で一杯になった。

「そうだ、〝元〟お気に入りのカップは、あんな柄《がら》じゃなかった！」

嫌な予感がして慌《あわ》てて商品の山を探る。あの客はしれっとしてとんでもない事をする奴だ！　まぁ、売れたのだから別に損はしてないのだが……。大体の商品の山を確認したんだが、残りは……魔理沙が腰掛けている商品か。僕は魔理沙をどかせ、魔理沙の下敷きになっていた高級なケースを見つけた。これに違いない。魔理沙も覗《のぞ》き込む中、ケースの蓋《ふた》を恐る恐る開けた。

魔理沙も僕も見覚えのある和紙とカップの破片。そしてその和紙に重なるように新しい洋紙が一枚入っていた。それは「ごめんね」とだけ書かれた、手品師の鑑定書だった。

第六話 霧雨の火炉 前編

薄暗い道なき道。服がいつもの何倍も重く感じるのは、流石《さすが》にこの霧雨のせいか。

陽の光も、降り注ぐ雨も、この森の葉はすべてを散らしてしまう。この森では晴れだろうが雨だろうが余り変わらない。それどころか昼だろうが夜だろうが……、私はこの境界の無さが居心地が良くて大好きなのだ。

それにしても、スカートが重くて歩き辛《づら》い。スカートの中に手を入れ、ザラザラした硬い物を触りながら上を見た。そういえばこんな雨とも霧ともつかない日じゃなかっただろうか。これを貰《もら》って帰った日も。

私が物心ついた時には、あいつは既に今の場所に店を開いていた。あまり昔の事を考えたくはないが、あの、物が多く心地良い暗さの店内は思い出せる。そう、あそこも昼も夜も無く人も妖怪も無い、そういう場所だ。居心地が良い筈だが、どうも一つだけ気に喰わない事が有る。

おそらく私の実家に対してだと思うが、あいつは私に遠慮するのだ。それもその筈、あいつは私が生まれる前は霧雨家で修行していたのである。結局、うちの取り扱う品と人間の客相手では、自分の『能力』が活《い》かせないと言って独立したらしい。あいつの能力なんて……、生かすも殺すもない中途半端な能力だがな。この前も「これはストーブだよ」、とか言っておいて使い方は変だったし……。それはともかく、あいつは昔から私に遠慮している。実家に戻る事はもう無いと言っているのに。

その時、妖精が腰掛けている大きな茸《きのこ》が目に入った。この茸は人を陽気にさせるから、疲労回復には持ってこいだ。あいつはいつでも愛想もなく気だるそうにしているし、これでもお土産に持って行ってやるか。

森の茸はあっという間に育つし、生える場所もいつも違う。まさに神出鬼没だ。森は生きている、常に変化している。だが、森より変化が速いものがある、それは人間だ。本当は人間こそ真の神出鬼没なのだ。

だというのに、あいつは昔から姿も中身も何一つ変わっていない。私が物心ついた時には、既に店はかなり年季が入っていたので、修行と言ってもいつの時代の話なのか判らない。あいつはいったい、どのくらい生きているのだろう。

　重力に縛られない人間は居る。時間を止める人間も居る。だが、姿も中身も変化が無い人間なんて……人間には決して真似出来ない事の一つなのだろうか。うらやましいぜ。

　ふと気が付くと、茸《きのこ》を取り過ぎて妖精が不機嫌そうだった。茸はもう持てそうにないが、もったいないから無理やり帽子の中に突っ込む事にした。ヌルっとしてちょっと気持ち悪い。……ああ、私には物を捨てるという事が出来ないのだろうか。自分の事ながら呆れてしまう。

　まだ実家に居た頃にこんな事があった。あいつが珍しく家に来ていて、鉄くずを抱えて何やら親と口論していた。幼い私は必死に盗み聞きしていたが、「ひひいろかね」とか「稀少な金属」とか何とか聴き取るのが精一杯だった。それからというもの、その事が気になって、鉄器から古びた鉄の棒、原形を止めていない鉄くずまで金属なら何でも集めた。結局、何にも意味は無かったが、実家を飛び出した今もその時集めた鉄くず――まぁゴミだが、それが私の今の家に有る。実家は捨てられたのに、鉄くずは捨てられないんだな。呆れるぜ。

　余計な事を思い出しているうちに目的地が見えてきた。魔法の〝森〟の〝近〟く、霧雨と森を合わせて〝霖〟、こんな単純な名前を名乗る主人が居る店だ。〝香《こう》〟は神《こう》、つまり神社の事だと言ってたな。ったく、そういうの大好きな奴だぜ。〝香霖堂〟よ。こんな古びた小さな店が霧雨――人間、森――妖魔《ようま》、それと神社――境界の中心、つまり幻想郷の中心のつもりなのか？


――今日は細かい雨が降っているな、雨の日は灯《あか》りを点《つ》けて本を読むのに限る。

――カラン、カラン、バン！


「おい幻想郷の中心、早速だが何か拭《ふ》くもの貸してくれ」

　黒くて濡《ぬ》れた塊が見えた。楽しい読書の時間を破るのは、案の定いつもの困った奴だ。

「中心って、いったい何の事かな魔理沙？……って、かなり濡れているじゃないか。このタオルを貸すからよく拭くと良い」

「おっと悪いな。それにしても、香霖、何で本を読んでるんだ？　今日は雨の日だぜ？　いつもは『晴れの日は本を読むに限る』って言ってるじゃないか」

「晴れの日は『灯りを消して』本を読むのに限ると言ったんだよ」

「あ、そうそうこれやるよ。適当に喰って明るくなりな」

　魔理沙は体を拭きながら帽子を差し出した。中は茸でいっぱいである。

「こんな怪しい物を食べろと言うのか？　まぁ、魔理沙の事だから大丈夫だと思うけど……」

「茸汁にしろって事だ。あいよ、タオル返すぜ」

「って、おい、もっとちゃんと拭けよ。そんな服で売り物に腰掛けられたら困る」

「そこは、私が風邪をひかないか心配するもんだぜ。ともかく、今日は仕事の依頼を持って来た。珍しいだろ？」


自分で客である事を珍しいって言ってる様じゃ、もう皮肉の言い様も無いのだが、魔理沙は「これの修復を依頼しに来たんだよ」と言って、スカートの中から八角形の香炉の様な物を取り出した。かなり使い込まれているが、錆《さび》が目立つ。


「ああ、懐かしいじゃないか、この『ミニ八卦炉《はっけろ》』、まだ使っていたのか」

「毎日酷使《こくし》している、フル活用だ。……ただ、錆《さ》びちゃってな」


この『ミニ八卦炉』、魔理沙が家を飛び出した時に僕が作成してやったマジックアイテムだ。小さいが異常な程《ほど》の火力を持つ。山一つくらいならこれ一つで焼き払える。暖房にも実験にも戦闘にも何にでも使えるだろう。


「もう、これが無い生活は考えられないぜ」

「そうか、そう言ってもらえれば道具屋冥利《みょうり》に尽きる」

「だから、もう絶対錆《さ》びないように修復してほしい。そうだな、炉全体を『ひひいろかね』にしてくれ」


突然の異質な単語が、相手が魔理沙じゃなくなったという錯覚を起こし、条件反射で営業口調になってしまった。


「あいにく、そのような物は取り扱っていないのですが」

「香霖に足りないものは嘘をつく能力だな。他にも足りないもの

ばかりだが」

「ふん、面倒だから嘘をつくなんて事は止めたんだ。君が『緋々《ひひ》色金《いろかね》』を知っているなんて思わなかったし」

「知ってるぜ。いいもんだろ」

「ふーん、緋々色金はものすごく稀少な金属だ。だが、少しなら持ち合わせがある。これを使ってやっても良いんだが」

「お願いするぜ」

　緋々色金は、確かに錆びる事の無い金属である。どんな環境下でも材質が変化する事が殆《ほとん》ど無いから、これを使えば最高のマジックアイテムが出来るだろう。とはいえ、これに使えばこの貴重な金属は無くなってしまう……どうしたものか。

　逡巡《しゅんじゅん》しながら僕は、魔理沙が言っている事におかしな点が有るのに気付いた。これは、久々に商売のチャンスである。

「そうだな。このアイテムは僕の自信作でもあるし、やってあげても良いよ」

「ほんとか？　それは助かるぜ」

「ただし、交換条件がある」

　と言ってから、仕事を受けるのに交換条件が有るのは当たり前だと思ったが、魔理沙にとって、お金や茸《きのこ》を出すより楽だと思われる条件を僕は提示した。

第七話 霧雨の火炉 後編

「魔理沙は確か……、ちょっと昔にゴミの様な鉄くずを集めていたよな。何に使うのか判らんが」

「宝物の様な鉄くずだぜ」

「どうせ、いつもの様にただ集めただけだろう？　そこで今回の仕事の条件は、その鉄くずの山と交換だ。どうだ？　邪魔な物も捨てられて良過ぎる条件じゃないか？」

「宝物だって言ってるだろう？　でもまぁ、そのくらいの価値はあるんだな。『ひひいろかね』は」

「もともと、その鉄くずには大した価値は無いだろうが、これはサービスみたいなもんだ。何しろそのミニ八卦炉《はっけろ》はだな……」

「おっと、薀蓄《うんちく》はいらないぜ」

　魔理沙の性格は判っている、小さい時からずっと見てきたからな。こいつは物が捨てられない奴なんだ。集めた物は整頓も行われずただ膨《ふく》れていくばかりで……あれでは物の価値を平坦化させるだけである。今回の条件も散々渋るだろうが、内心では即決している筈だ。整理できるチャンスでもあり、ミニ八卦炉自体も無ければ生活出来ないらしいからな。


「私があの鉄くず集めるのに、どれだけ苦労したか知らないだろ？」

「持っているだけじゃ、その苦労を無駄にする様なものだよ」

「集める事が目的なんだよ。使う事は考えてないぜ」

「じゃぁ、目的はもう達成済みじゃないか。その鉄くずは僕が有効に成仏させてやるよ」

「何か怪《あや》しいな。ひひいろかねは稀少じゃなかったのか？」

「君には頭が上がらない理由も有る。この程度の条件で手を打っておかないと、後が怖いじゃないか」

「遠慮なんか、しなくてもいいんだがな」


「修復には四日かかる」と言うと、魔理沙は「それまでこの本でも読むぜ」と言って売り物の本を持って帰って行った。うちは図書館ではないんだがな。

　さて、これは久々の大仕事である。最近は滅多に仕事も無いし客も来ないので、このままでは自分の〝能力〟も腐《くさ》ってしまう。そう、〝未知のアイテムの名称と用途が判る程度の能力〟だ。普

通の道具屋ではこの能力は活《い》かせないかと思って、珍品も扱う店を開いたのだが……、珍品は奇人を集めただけだった。それにこの能力、ちょっと問題が有って……実は名称と用途がわかっても使用方法が判らないのだ。まぁ、道具なんて用途さえ判れば何とかなるもんだが。

❈

茸《きのこ》汁の妖《あや》しく良い匂いが漂《ただよ》っている。食事の準備をしながらミニ八卦炉の事を考えていた。このミニ八卦炉はただの八卦炉ではなく、いろいろな効果が出る様改良してある。炉の一角から風が吹き、夏には涼む事も出来る。持ってるだけで魔除けや開運の効果も有る（と思う）。何しろ外の世界のそういう〝用途〟のアイテムを溶かして混ぜてあるのだ。これらは僕のサービス（趣味）である。……さぁ、食事が終わったら早速取り掛かるとするか。

それから三日たった。今日は晴れだ。灯《あか》りを消して本を読むに限る、とはこういう日の事である。

――カランカラン

「香霖、出来たか？」

「魔理沙か、ああ、出来てるよ」

魔理沙が鉄くずを抱えてやってきた。しかも四日かかると言ったのに三日で来た。まぁそれもいつもの事だ。だから僕はいつも一日多く言う。

「おお、悪いね。これはここに置くよ。もし出来てなかったらまた持ち帰る所だったぜ」

「一日早く来て理不尽《りふじん》な文句を言うなよ。それに、また持ち帰る理由も判らんな」

「完成品と交換という約束だからな」

「まぁいい、これが緋々色金《ひひいろかね》のミニ八卦炉だよ。多分世界に一つしか無い」

魔理沙は、これがひひいろかねか、と興奮している。落ち着きなく嬉しそうにしながら、珍しくすぐに帰って行った。

――数日後。魔理沙はまだ上機嫌が続いていた。

「何か目覚めが良い。空気が美味いぜ」と喜んでくれる。

いや何、これだけ喜んでくれれば貴重な緋々色金を使った甲斐があったというもの。わざわざ交換条件にしなくても良かったかもと思った。

実は今回、魔理沙には内緒で〝空気を綺麗にするというアイテム〟を溶かして混ぜたのである。そのアイテムは、マイナスイオンとかいう謎の呪文が書いてあったりと、どうやって使用するのか判らなかったが、かろうじて機能している様である。アイテムなんてものは名称と用途さえ判れば、後はどうとでもなるものなのだ。

「香霖。本当に良いのか？　こんな効果も有るなんて、これ、かなり稀少な金属なんじゃ……」

「緋々色金は稀少だけど、君の言う様な効果は無いよ。金属なんて溜《た》め込んだって、何かの道具にしなけりゃただの鉄くずさ。君にはその事が判らない様だね」


「どうせ私は集める事だけが目的だ。使えるかどうかなんてのは二の次だよ」

「使えるかどうか、じゃない。肝心なのは使うかどうかだよ」

「じゃあ、私が持って来たその鉄くずは使うのか？　放置してあるけど」

僕が魔理沙に頭の上がらない理由。それはいつも、蒐集癖《しゅうしゅうへき》のある魔理沙が集めるゴミを〝不当に安い条件〟で僕が手に入れているからに過ぎない。どうせ魔理沙には細かい材質の違いなど判らないからな。この鉄くずだって、本来交換条件など成立するような代物ではないのだ。

ただ魔理沙が成長していく度に、いつかバレるんじゃないかと不安に思っていたのだが……。魔理沙は何にも変わらない。未《いま》だ集めるだけだ。これだけ変わらない人間も珍しいと思う。

「何だよ、人の顔見て。使うのか？　使わないのか？」

「そうだな。記念に使わないで取っておいてやろうかな」

「さっきと言ってる事違うぜ」

鉄くずの中から一振《ひとふ》りの古びた剣を取り出した。魔理沙が緋々色金を知っていた訳がない。何故《なぜ》なら、この剣は緋々色金で出来ているのだ。魔理沙はずっと昔から緋々色金で出来た剣を持っていたのだ。

　この剣、名前は「草薙《くさなぎ》の剣《つるぎ》」という。恐ろしく稀少な品だ。何しろ、外の世界を変えてしまう程の品である。魔理沙は気が付かないうちに大変な物を手に入れていたのだ。そこで魔理沙に持たせていたらどうなるのか判らないから、僕が預かっておく事にしたという訳だ。我ながら正しい判断だと思う。

「どうした？　さっきからそんな汚い剣を持ってニヤついて。気持ち悪いな」

「あ、ああ。この剣は良いな、と思って」

「そんなボロい剣じゃ、大したもん斬れないだろ」

「この剣、名前が無きゃ駄目だなぁ。君の宝物のくずだったし、『霧雨の剣』にしておこうか」

「なんだ？　嫌味か？」

「良い物だと言っている」

「そろそろ香霖の名前が判る能力が鈍ってきたか。まぁ、良いけどな。ただ、私に遠慮しなくてもいいぜ、香霖の剣とかでもいいんじゃないのか？　私はもう実家には戻らないぜ」

「遠慮なんか……してないさ」

　魔理沙を騙してばっかじゃ後が怖いから、予防線を張ってるだけである。魔理沙が成長して騙していた事がばれたとしても、返せと言われない様にする為だ。他にも命が短い方の名前を使わないと意味がない、というのも有るが……。

　ただ、香霖堂にまた一つ非売品が増えてしまった。店内が非売品だらけになってしまったら、魔理沙の蒐集癖の事を強く言えなくなってしまうだろう。僕も集める事だけが目的になってしまう……それだけが心配だ。

第八話 夏の梅雨堂 前編

一年の中でもっとも湿度が高く、いかにも日本的な梅雨《つゆ》は終わり、香霖堂に夏の強い日差しが射し込んでいた。

梅雨時は、黴《かび》が生えたりして本や道具の傷みが進み道具屋を悩ませる。その憂鬱《ゆううつ》な季節は漸《ようや》く終わりを告げたのだ。

——だが、僕の悩みはまだ晴れてはいなかった。

別に僕は夏の日差しが苦手な訳でもない。その強い日差しは、角度の為か店の中をより暗くする。店の暗さと窓の外の明るさのコントラストが夏を実感させ、僕はその暗さも明るさも好きである。

しかし、今年の夏は違った。確かに日差しは強い、まごう事無く真夏の日差しである。でもこの店内はどうだ。窓から射し込む必要以上の光……まるで湖上《こじょう》に店が建っているかの様に、乱反射した光が無秩序に店に射し込んでいるじゃないか。この明るさは夏を感じさせない。どうやら僕の店の周りだけの様だが、もうこんな天気になってから三日目である。

生憎、こういう「異変」の調査は僕の専門ではない。普段ならちょっとした異変でもすぐに解決してくれる人が居るんだが……。どうも僕の店の周りだけみたいだし、あいつも気が付いていないんだろう。だからといってこんな天気の中、調査を頼みに行くのも面倒だし……。

まぁ、その人間だったら放っておけばいつか来るだろう。いつもどうでも良い時に店に来るが、どうでも良くない時も店に来るのだ。便利な様な、邪魔な様な……。

——カラン、カラン

「ちょっと！　何であんたの店の周りだけ雨が降っているのよ！」

ほら来た。こういった異変調査の専門家だ。「霊夢じゃないか」ちょうど良い——と言いかけたが、とりあえず調査の専門家である霊夢の様子を見てみる事にした。この異変について何か判っているかも知れない。

「じゃないか、じゃないでしょ？　もう、霖之助さんは自分の店が今どういう状態になっているか判っているの？」

そう、異変とは、梅雨が空けてから何故《なぜ》か再び天気雨が降り続いて一向に止《や》む気配が無いという事だ。空は雲一つ無い青空だというのに……。それも店の周りだけである。でも取り敢えず僕は知らない振りをしてみる事にした。
「どういう状態って、何の事かな？」

「呆《あき》れたわ、まったく外に出ていないのかしら？　この店の周りだけ外から見えないくらい雨が降っているじゃない。雲一つ無いのに……。遠くから見てこのへん一帯だけ白い布で覆《おお》われた様になっているわ。もしや、またおかしな実験とか始めたんじゃないでしょうね」

「そうか、やはり店の周りだけなのか」

　それは判っていた。

「何を企んでいるの？」

「霊夢、僕は何もしていないよ」

「それにしては、豪快な狐の嫁入りだわ。普通の狐じゃなさそうね」

　霊夢もこれといって情報を持っている訳ではないらしい。まぁ、ここから上手くけしかけて霊夢に調査を依頼するとするか。僕は霊夢にタオルを渡し、濡《ぬ》れた体を拭《ふ》くように言った。

「それはともかく、この前は大変だったな」

「この前、っていつの話の事？　大体いつも大変だから覚えてないわ」

「梅雨になろうって頃まで雪が降っていた事が有ったじゃないか。あれを解決したのは霊夢なんだろう？」

「ああ、その事？　あんなの大した事じゃなかったわよ。もっと酷《ひど》い目に遭《あ》った事なんていっぱい有ったわ。まぁ、どれも大した事じゃないけど」

「大変なのかそうじゃないのかさっぱり判らないな」

「普通よ、普通。どっちかっていうと、放っておく方が大変になるの。春が来なかったら困るから解決する訳だし、霧が晴れなかったら困るから解決する……って、やっぱり霖之助さん、困ってるの?」

「よく判ってるじゃないか。そう、困っている」

「最初からそう言えば良いのよ。仕様がないわね、この狐の嫁入り、調べてみてもいいわよ」

　霊夢はちょっと楽しそうだ。誰がどう見ても大変そうには見えない。困っているから解決するというよりは、何かおかしな事に首を突っ込むのが好きという風にしか見えない。

「悪いな。僕は別にやる事が有るんでね。どうしたものか悩んでいたんだよ」

　別にやる事は無い。はっきりいって暇だが、僕はこういう異変は専門外なのだ。

「まぁいいわ。どうせ服は濡れてるから、もう一度雨の中に出ても大差無いし……。霖之助さんは自分の『やる事』でもやって待っててよ、まぁこの程度の小事《しょうじ》、すぐに片付くと思うけどね」

　そう言うと意気揚々《ようよう》と霊夢は店を出ていった。予想通り霊夢はすぐに仕事を引き受けてくれたのだが、よくよく考えると、霊夢側は特に用事が無いのに店に来ている事が判る。いや、今回は最初から異変を解決するつもりで来ていたのかも知れない。

　なぜなら、霊夢に渡したタオルはまるで濡《ぬ》れていない。霊夢は体を拭いていないのだ。最初からもう一度外に出る気だった様に見える。それとも、濡れていようが何だろうがかまわないだけかも知れないが。

　霊夢に任せておけば、数時間後にはカラッとした夏の陽差しが店を照らし、店内は再び夏の暗さを取り戻すだろう。霊夢が動き出したら、大抵の異変は二～三時間から半日、長くても一日あれば元通りになる。いつもの事だ。

　僕は、新茶を淹れて本でも読むとしようか。後は放っておけば良いだろう。お茶の良い香りが時間を忘れさせる。こんな姿、頑張っている筈の霊夢に見られたら怒られるかも知れないが……。

　それにしてもこの狐の嫁入り、霊夢にも原因は判っていない様だったが、実は一つだけ思い当たる節がある。まさかと思う事だが……、そうだとすれば瑞兆《ずいちょう》だ。暫《しばら》くすれば元に戻るだろう、もしかしたら霊夢にも応急処置くらいしか出来ないのかも知れない。それに、これに関しては誰にも言う事が出来ないのも厄介《やっかい》だ。特に魔理沙には言えない。

——ガン！　ガラガラガラ……

一瞬の事だった。店内は本が読めないくらいに明るく青白く光り、窓の外と共に一瞬にして暗くなっていった。次第に雨は

強くなり、晴天だった筈の空は暗く、遠くの景色も見えなくなっていく。

夏の強い陽射しと夏の暗さを期待していた僕は、突然の雷鳴と暗転に正直に驚いた。晴天《せいてん》の霹靂《へきれき》とはまさにこの事か……って晴天でも雨は降っていたのだけど。

一気に強まった雨に、ちょっと霊夢の事が心配になってきた……といっても解決後の霊夢の愚痴の心配である。どうせ解決はするだろうが、この土砂降りは想定してなかったに違いない。霊夢の服の着替えくらいは用意した方が良いだろうな。どちらかというと霊夢の機嫌の問題なのだから。

外の様子を見てみようと思い窓に近づいて外を見た。でも、霊夢の姿はまったく見えない。雨はますます強さを増し、世界から完全に色を奪おうとしている。徐々に森も山も輪郭を失い、ついには一面暗い灰色の世界になってしまった。屋根を打つ雨の音だけが聞こえている。

そんな時、店の前に走ってくる人影が見えた。今の風景と同じく色を持たない姿。白と黒のモノトーンの人影だった。

第九話 夏の梅雨堂 後編

――ドン！　ガラガラガラ……バン！

「おい！　どうした!?　この雷雨は尋常《じんじょう》じゃないぜ！」

　尋常じゃない状態で飛び込んできたのは魔理沙だった。それに濡《ぬ》れようも尋常ではない。

「どうした？　尋常じゃないって……よくある夏の夕立《ゆうだち》じゃないか」

「嘘つけ、この店だけだぜ、雨が降っているのは。こんな夕立は無いだろ？」

　とまぁ、軽い挨拶を交わした所で、魔理沙に嘘をついても仕様がないから、これまでのいきさつを話した。

「そうか。私ならこんな天気雨くらい、すぐに晴らしただろうがな。まぁ、霊夢は仕事を邪魔されると怒るから、今回はあいつに任せるとするか」

「取り敢えず、これで体を拭《ふ》けよ。その――」

「『濡れた服で売り物に腰掛けられたら困る』、だろ？　わかってるぜ。でも、飛ばして来たから大して濡れてないんだ」

　それに「雨は店の周りだけだからな」と言って魔理沙は、タオルを手に取り体を拭き始めた。

　僕には結構濡れている様に見える。雨の範囲は思ったより広いのか、それとも本当は店に来る前に寄り道して来たのか……。こんな異変を前にして、魔理沙がおとなしく黙っているとは思えない。

　魔理沙は適当に体を拭くと、売り物の壷《つぼ》に腰掛けた。

「とにかくなぁ、店の周りにだけ異変が起こっているというのは、原因がお前に有るからだぜ」

「思い当たる節は無いんだけどなぁ……」

　思い当たる節は有る。魔理沙には言えない事だが。

　今この店だけに降っている雨。雨とは、天《あめ》とも読み取れる。店にだけ雨が降るという事は、ここに天が下る、つまり天下が在るという意味にも取れる。少し前に魔理沙を騙し……いや、ちゃんとした交渉の末、手に入れた剣。あれはただの剣ではない。あの剣の本当の名前は草薙《くさなぎ》の剣《つるぎ》、別名天叢雲剣《あめのむらくものつるぎ》なのだ。天下を取る程度の力を持つ、いや、それ以上の力も有る剣だ。

　この雨は、恐らく天が僕を認めた事の瑞兆《ずいちょう》であるに違いない。

天候を操作するだなんて、なかなか普通の妖怪になせる芸当だと思えない。

「どうした、ニヤニヤして？　思うんだが、この雨。その辺の悪《いた》戯《ずら》好きの妖精の仕業なんじゃないのか？」

「へ？　そ、そう？　雨を降らせるなんてそう簡単に出来るのかなぁ」

「雨を降らすくらいは大した事無いぜ。季節を操作する妖怪が居るくらいだし、しかも降っている範囲も狭いしな。というか雨《あま》乞《ご》いでもした？」

「ここにだけ雨が下る……か。ふふふっ」

「あー？　無視するなよ」

　僕はすでに天下を統一した気分でいた。でもその事を魔理沙には勘繰《かんぐ》られない様にしないといけない。魔理沙から貰《もら》ったあの剣の秘密がばれてしまうと厄介である。

　魔理沙はしきりに外を気にして窓を見る。豪雨が気になるのか、ひどく落ち着きが無い。

「霊夢も、失敗して諦《あきら》めて戻って来ないかなぁ……」

「おや、他人の失敗を願うなんて珍しいじゃないか」

「何言ってるんだよ。暇だからこの店に来たんだぜ？　暇を潰せる出来事が目の前に有るっていうのにじっとなんてしていられるか」

「何なら魔理沙にもお願いしようか？　異変の調査。別に二人でやっても、僕はかまわないよ」

「また濡れるのは嫌だぜ」

「まったく、我侭《わがまま》な奴だな、魔理沙は！」

困っているのは僕の方なんだから、調査してもらえるだけ有《あり》難《がた》く、あまり強く言う事は出来ないのだが。こいつらはこいつらで暇つぶしでやっているだけみたいだし、どっちもどっちか。

——ドガン！　ガラガラガラ……

「うわっ！　何だ今の雷！　ものすごく近いぜ！」

そりゃ、店の周りしか雨は降っていないのだから、雷も近いに決まっている。だが、その大きな雷鳴の直後、雨は突然ぴたっと止んでいた。

さっきまでの滝のような豪雨の音が無くなり、一瞬にして無音になった。最初は大きな雷鳴のせいで耳がやられたのかとも思ったが、代わりに魔理沙がしきりに囃《はや》し立てるのですぐに店内は五月蝿《うるさ》くなった。

「おっ、雨が止《や》んだぜ。霊夢の奴、やったかな？」

「さすが霊夢だ。雨が土砂降りになった時はどうなるかと思ったけど」

「私だったら、もっとスマートに解決出来たんだがな」

魔理沙は落ち着きを取り戻していた。窓の外は強烈な陽差しで夏を取り戻し、それと共に店の中は夏の暗さを取り戻していた。空には雲一つ無い。この空を見て誰がさっきまで雨が降っていたなどと信じるのだろうか。僕にも信じられない。

——カラン、カラン

「あー、終わったわ。まったく、私にこんな仕事させてぇ、お茶の用意くらいはしてくれて有るんでしょうね、って魔理沙が居るじゃない」

「香霖は霊夢にやらせておいて、お茶の準備なんてまったくしてないぜ。自分では飲んでいたがな」

僕は慌ててお茶を用意しようとすると、魔理沙は「時間も時間だから、もう飯にしようぜ」と言った。

「何それ、時間掛かり過ぎだって言いたいの？　まぁ、魔理沙が食事の準備してくれるなら良いけど」

「時間掛かり過ぎだ。まぁいい、今日は飯、作ってやるよ、材料は何が有ったっけ？」

人の家なんだけど、まぁそのくらい見逃してやるか。

魔理沙はお勝手に入っていった。魔理沙じゃないけど、本当に今、材料は何が有ったっけ？　雨のせいでしばらくこもっていたから、あまり新鮮な物は無いかも知れない。まぁ、魔理沙なら何とかしてくれるだろう。いつも食材を持ってくるくらいだから、最初からうちに豊富な食材なんか期待してないだろうし……。取り敢えず僕は霊夢に礼を言い、新しいタオルを渡した。

霊夢はすぐに髪を拭《ふ》き始め、「お茶は?」と急かす様に言う。

「まぁ落ち着け、今淹《い》れているよ。それで、何だったんだ?　この異常な狐の嫁入りは」

「ん?　いや何、梅霖《ばいりん》の妖精が店の屋根裏に住み着いていただけだったわ。ちょっと脅してやったら、逃げて行ったわよ。何で途中で急に雨が強くなったのかは判らないけど、誰かが邪魔をしたのかしら?」

梅霖の妖精?

「雨を長引かせる悪戯好きの妖精ね。霖之助さんみたいに」

「何言ってるんだ?　僕は雨なんか降らせないよ」

「だってその名前、霖《ながめ》でしょう?」

「それはそんな意味で名付けた訳じゃないよ。それで?　その妖精が何だっていうんだ?」

「貴方の店、いつも黴《かび》が生えるくらいに汚くしているから、居心地がよくてうっかり棲《す》み付いていたみたいね。梅雨は黴雨《ばいう》ともいって、黴を好むのよ。たまには店の隅々《すみずみ》まで掃除する事ね。今回みたいに何かが棲み付いても知らないわよ。あ、お茶ありがと。う～ん、新茶ね」

店の外は鮮やか過ぎる緑と、繊細さに欠ける程の眩《まぶ》しい光であふれかえっていた。さっきまでの雨が盛大な打ち水であったかの様に、今は涼しく、そして心地の良い風を暗い店内に運んでいた。

店の奥から魔理沙の声が聞こえる。どうやら食事が出来たらしい。

「駄目だな、香霖。いろんな食材が黴《か》びてるぜ。いくら雨が長引いたからって少しは整理しないとな。仕方がないから今日は味

噌と香の物がメインの料理だ。侘《わび》しいとか言うなよ」

それにしても、黴《かび》かぁ……。僕の天下はまだ遠い。僕は店内に飾ってある剣を見やってそう思った。

第十話 無縁塚の彼岸花

真っ赤な彼岸花《ひがんばな》の毒が、行く手を阻《はば》んだ。異形《いぎょう》な彼岸花に守られたこの地は、この世の物とは思えない程《ほど》美しく、儚《はかな》い。まさにここは、結界の外と内、そしてもう一つの異界の入り混じった『ありえない結界の交点』の様に思えた。その様な不思議な場所故《ゆえ》、見た事も無い様な道具も落ちている。

「ここはまさに、宝の山だ」

秋の彼岸の時期になると、僕は決まって墓参りに出掛ける。といっても、僕が行く場所は、普通の墓地ではない。幻想郷に縁者《えんじゃ》の居ない人間、身元不明の仏といった者たちが眠る場所。そう、無縁塚《むえんづか》に行くのである。

何故《なぜ》、人間の数が少ない筈の幻想郷に、この様な無縁塚が在るのかというと、そこには現在の妖怪と人間のバランスが影響している。妖怪を完全に退治する人間も居なくなったし、妖怪も幻想郷の人間を襲う事は殆《ほとん》ど無くなった。人間の数も妖怪の数もこれ以上増えては困るし、減ってもまた、困るのである。

死体を放置してしまうと、大抵は妖怪の餌《えさ》となってしまう。死体を喰らう妖怪が出歩く事は衛生上良くない。疫病《えきびょう》が流行《はや》る。人間にとっては良くない事だ。また、人間が死後、妖怪になる事もある。人間の数が減り、妖怪の数が増えてしまう事も、今の均衡《きんこう》の取れたバランスを崩してしまう。

その為、最近の幻想郷では、たとえ身元不明の遺体でも放置しておかない様になった。そういった遺体は、ここで纏《まと》めて火《か》葬《そう》される。お陰《かげ》で、幻想郷では死んだ人間は肉体を失い、亡霊になると言われるのだ。

無縁仏も纏めて火葬し、遺骨もそのままここ無縁塚に埋葬される。僕が何故ここに居るのかというと、もちろん、無縁仏を弔《とむら》う為である。決して、外から来た無縁仏と一緒に落ちている「世にも珍しい」外の道具を拾う為、ではない。

そう、幻想郷に縁者の居ない無縁仏の殆《ほとん》どは、外の人間である。ここは冥界《めいかい》との壁が薄くなっている場所であり、その影響も有ってか、外の世界とも近い場所でもある。人も霊も、また奇妙な道具もよく落ちている。

「彼岸花の紅《あか》い毒のお陰で、ここは荒らされる事が無い。ここは

まさに、宝の山だ」
最初から底の無い柄杓《ひしゃく》、人魂《ひとだま》で灯《あか》りをともす人魂灯《とう》、面白い物ばかりである。これらは外の品だろうか、それとも冥界の品なのだろうか？　何度も言うが、僕は珍しい品を拾いに来た訳ではない、無縁仏を弔《とむら》う為にここに来ている。今、必死に拾っている外の品は、無縁仏を弔った報酬分だから僕は堂々と拾っているだけだ。
しかし、そんな浮かれた気分も不可解な異変によって打ち砕かれてしまった。
火葬《かそう》後の骨の数を数えていた時の出来事だった。なんと、火葬前の仏の数と骨の数が合わないのだ。それも、仏が一人多いとかではない。体の一部だけ何故《なぜ》か余ってしまうのだ。どうせ最初から骨を受け取る縁者も居ない仏だから、多少増えた所で困る事は無いが……。

「――無縁仏ってそんなに在ったっけ？　霖之助さん」

僕は不可解な謎を解決出来ぬまま、自分の店「香霖堂」に帰って来た。だが、主人の僕が留守の間に、いつも勝手な巫女と、大体勝手な魔法使いが、勝手に店でくつろいでいた。大体いつもの事だ。

「ああ、無縁仏は殆《ほとん》ど外の人間だよ。霊夢も判っている通り、幻想郷に無縁の人間なんて少ない。でも、逃げた妖怪の食料や、道に迷ったりした外の人間が居るから、無縁塚の仏は無くならないんだよ」

「で、その手に持っているガラクタは何だ？　相変わらず、訳の判らないもん一杯持ってるな」

　魔理沙はそう言った。どちらかと言うと、僕が拾ってきた物の方に興味が有る様だった。

「これ？　その無縁塚《むえんづか》に落ちていた物だよ。魔理沙」

「墓泥棒だな」

「墓泥棒ね。嫌だわ」

「墓泥棒？　これはお供《そな》え物じゃないよ。大体な、いったい幻想郷の誰が、無縁塚にお供えに行ったりするんだい？　これらの道具はむしろ、勝手に流れ着いたり、不届き者が捨てていった物だ」

「何だ、ゴミだな。そんな物誰も買わないぜ」

「売らないよ。すぐには」

　ゴミが道具になるには、それなりの時間がかかる。生命の輪《りん》廻《ね》と同じなのだ。

　話が途切れた所で、僕はさっきから抱えていた不可解な余った骨に繋がる様に、話題を変えた。

「ところで霊夢。最近、幻想郷で何か大きな異変でも無かったか？」

「そうねぇ。大きい異変は有ったには有ったけど、大した事は無かったわ」

「相変わらず、大きいのかそうでもないのか、判らないな。まあいい、ちょっと不可解な事が起きたんだけど……」

　僕は気になっていた骨の事について、二人にそれとなく聞いてみた。

「あー何だ？　寿司が喰いたいって事か？」

　魔理沙が訳のわからない事を言ったが、放って置く事にした。

「それって本当？　骨が余るなんて……」

「ああ、ほらここにその一本がある」

「げげ、持って来るなよそんなもん」

「右腕の骨……、かな？　春の彼岸の時には、右足が余った事も有ったんだけど……」

「まさか、右半身分ばらばらに集めるつもりなの？」

　と霊夢が言った。

「まさかね。ただそれを言うなら、全身一人分じゃないのか？　なんで右半身だけに限定する必要があるんだい？」

「いずれにしても、思い当たる節はまったく無いわ。だいたい、その仏さんは殆《ほとん》ど外の人間なんでしょ？　変な事が起きているとしたら外の世界で起きてるんじゃないの？」

「巫女が死体を仏って言うのも面白いぜ」

　魔理沙が茶化した。

「そうかも知れないが、バラバラになって少しずつ幻想郷にやって来る仏なんて……。外の世界で、何か悪い事企《たくら》んでいる人が居なければ良いけど」

「その骨はね。きっと人間じゃないわよ」

　霊夢がまた不思議な事を言い始めた。

「どう見ても人間の骨じゃないか。いったい、霊夢はこれを何の骨だと言うんだい」

「だって……、その骨からは、生きていた頃の霊魂がまったく見当たらないもの」

「へぇ。霊夢にそんなもの見えるなんて聞いた事ないぜ」

　と魔理沙が驚いた振りを見せた。

「あら、私は巫女よ？」

――次の日、僕はまた無縁塚に来ていた。もちろん、無縁仏を弔《とむら》う為である。

　結局、昨日は、余った骨の不可解さが解ける事も無く、逆に不可解さを増したままその話題は終了した。僕は理解出来ない事は気にしないという、重要な特技を活かして忘れる事にした……したかったんだけど……。

「ふーん。大体予想通りだが、意表を突かれたな」

　おっと、僕にも霊夢の口癖が伝染《うつ》ってしまった様だ。

　何が予想通りかというと、今日も余計な骨が落ちていたのだ。

　そして意表を突かれたというのは、その骨はまた昨日と同じ、「右腕」だったのだ。いや周りをよく見てみると、他にも「右腕」の骨が落ちている様に見える。

「今日は右腕の彼岸《ひがん》だな」

　おかしい。この骨が外の人間の物だとすると、外の世界には右腕だけ縁を切った人間が大勢居る事になる。いや、人間にそんな事が出来る筈が無い。たとえ事故で腕を失っても、体と腕の繋がりは断つ事は出来ないのだ。体から離れても、腕は元の体を呼び、腕の無い体は、腕が有るものだと思い込む。人間というのは、肉体の状態に拘《かか》わらず全身に魂が宿るからである。

　ここで、幻想郷を囲む結界が影響するものは何かを考え直す事にした。結界が影響を及ぼすもの、それは人の「思い」である。物質の壁が「肉体を通さない壁」だとしたら、結界は「人の思いを通さない壁」だ。結界を越えるという事、所謂《いわゆる》神隠しは、特殊な精神状態か意識が朦朧《もうろう》としている時に起こり、必ず全身ごと飛び越える。腕だけが結界を飛び越えるという事は、腕と体が別の思いを持っている事になってしまうのだ。腕と体が別の意思で動く人間？　そんな人間が居るとは思えないし、ましてや大勢居るとは思えない。やはり、霊夢の言う通り人間の腕ではないのだろうか。

……それにしても綺麗な骨だ。まったく生活の苦労の跡が見えない骨である。大きさは成人だが、まるで赤子の様だ。こんなに綺麗なまま人間は成長する事が出来るのだろうか。生活に何不自由しない家庭で育つと、こんな風になるのだろうか。

　そんな事を考えていると、ふと足元に咲いている彼岸花《ひがんばな》が目に止まった。茎《くき》には葉が無く、地面からまっすぐに生えている異形な彼岸花は、その先端に大きな赤い花を咲かしていた。枝葉を持たず、さらに毒を持つこの花は、無縁仏の眠るこの地にふさわしい花である。いかなる物とも繋がりを持たない美しさ、そんな印象を受けた。……この綺麗な右腕だけ繋がりを絶った仏。僕は、彼岸花の様に右腕が整列して生えている場面を想像してちょっと嫌な気分になった。


「——それで、その量産型の右腕をどうしたんだ？」

　店に戻った僕を、いつもの様に勝手な霊夢と、いつもの様に勝手な魔理沙が待ち受けていた。

「ああ、ここに一本」

「余ったからって、持って来ないでよ～」

　霊夢は、お茶を片手に煎餅《せんべい》をかじりながらそう言った。

「うーん。ちょっと気になった事が有って……」

　僕は店の奥に向かい、昨日拾った骨とさっき拾った骨を見比べた。

「気になる事って、何？　ああ、この煎餅はそっちの棚じゃなくて、こっちの棚に置いてあったのよ？」
　そんな事は気にしていない。霊夢の近くの棚にしまっておいた煎餅は、割と高価な物である。霊夢はいつも選ばずして、店の中で一番良い物を手に取る癖を持っているのだ。ならば、霊

夢が食べている煎餅の正体なんて……。

「って違う、そんな事が気になっている訳ではない！　骨の事だ骨の事」

そう僕が言うと、魔理沙はちょっと不機嫌そうに本を置き、

「あーあ、もういいぜ。そんなに食べたければ、今日は飯を作ってやるよ」

と呆れた様に言い放ち、お勝手に入っていった。

まぁ何に対して不機嫌なのか判らないが、魔理沙の事だからどうせ単純な事だろう。食事を用意してくれるってんだから、そこまで不機嫌ではない様だが……。それより今は、骨の事である。

「それで？　骨の事で気になる事って何なの？　霖之助さん」

「ああ、昨日拾った右腕と今日の右腕、よく見てみたんだが……。どこを取ってもまったく同じ物だな。たとえ双子でもこんな事はありえない。まるでそのまま複製したかの様だよ」

「それで、何が気になってるの？」

「判らないのか？　簡単に言うと、この右腕とその右腕は、同一人物の右腕という事だ……と思う」

「へぇ不思議ね。普通かも知れないけど」

「そんな訳の判らない返事で片付けるのかい？」

霊夢はちょっと諦めたようお茶を置いた。


「だって、外の世界の話でしょ？　外の世界で何が起きていようともそれは私の管轄外《かんかつ》だわ。それにもう、外で何が起きているのかさっぱり判らないわよ。その腕だってどうせ、いいとこ六本腕かなんかの人間の骨でしょ？」

「たとえ六本腕の人間でも、右腕だけ結界を越えるのは不自然だよ。結界の事は君の方が専門だろう？　ならば判ると思うが、体の一部だけ結界を渡れるのは妖怪の証だって事だ。結界は壁じゃないんだからな」

「そうなの？　それは面白い事を聞いたわ」

「そうなの、って。君は巫女の自覚が有るのかい？」

「私の知り合いで、平気で体の一部だけ結界を渡る奴が居るんだけど……って、なるほどあいつは人間じゃなかったわね」

「だから、この人間の腕はあり得ない物なんだよ。こういうの何て言ったっけ？　オーパーツだったかな？」

それは違うぜ、という魔理沙のツッコミが聞こえた。いや、お勝手で食事の用意をしている筈だから、気のせいかも知れない。

「まるで作り物みたいな腕ね。魂の宿っていた跡《あと》も無いし……とても生きて生活していた腕とは思えないわ」

霊夢が煎餅を置いて、初めて骨を手に取った。もう片手にはお茶は持ったままだったので、煎餅が骨に変わっただけである。

ぼーっとしてるとそのまま間違えて食べそうだ。

「その腕、人の思いが無いだろう？　だから結界も渡って来れたんだ、たまに流れ着く道具と同じ扱いだよ。それでも生き物だった事には違いないから、どちらかと言うと体の無い右腕だけの人間だと思う。『僕の目』で見てもこれは人間である事は確実みたいだし。そこから推測するなら……」

と言いかけて、工場のような実験場のような場所で、道具の様に同じ形をした人間の腕が生成される所を想像して、喋るのを止めた。生命を侮辱した罰当たりな想像であると反省したのだ。人間がそんな愚かな事をするなんて、考えたくない。

「外の世界の人間が愚かな事を行っていなければいいけど……」

僕はそれだけ言った。

「あら霖之助さん、たまに流れ着く外の道具で生計を立ててるんでしょ？　それに、外の世界は進んでいるって、いつも唸《うな》ってるじゃないの」

「生き物の身体は……道具じゃない。この店では取り扱わないものだ」

しばらく、言葉も無く静かだったが、霊夢はポリポリ音を立てて何かを齧《かじ》っていた。確か骨を持っていたよな、とドキッとして霊夢を見たが、それは煎餅だった。そりゃ当然である。というか、もうそろそろ食事の時間なのに、そんなに喰っていて良いのか……。

「出来たぜ。お望み通り、今日はちらし寿司だ」

魔理沙が威勢良くお勝手から戻ってきた。

「ちらし寿司？　いやに豪勢だね。なるほどそれで時間がかかっていたのか、って、お望み通り？」

魔理沙は人をおちょくったような顔をすると、

「だって、昨日からずっと言っていただろ？　寿司が喰いたいって」

と言った。

「言ってたわね」

煎餅齧りながら霊夢も言う。

「霊夢まで……。そんな事言ったっけ？」

「時間がかかっていたのはシャリを冷ます団扇《うちわ》が見当たらなかったからだぜ。この帽子じゃなぁ、振っても疲れるだけで風が起きないんだよ」

ああ、なるほどね。それでさっきから魔理沙は「寿司、寿司」って言っていたのか……。魔理沙らしいな。

「どうした？　早く食べないとせっかくの私のちらし寿司が冷めるぜ」

「頑張って冷ましたんじゃなかったの？」

霊夢は食べかけの煎餅をこっそりと元の棚に戻しながら言った。

「寿司か。悪趣味な洒落《しゃれ》だな。魔理沙」

「ふん。人の前まで平気で舎利《シャリ》を持ってくるような奴に言われたくないぜ。いいか？　人間は死んだ後、亡霊になるんだよ。舎利なんかはただの抜け殻だ。その抜け殻に何か疑問があれば亡霊に聞けばいい、一発で解決するぜ。シャリは寿司の飯だけで十分だ」

「そうだな。でも、その舎利を持って来たから、思いがけず今日はご馳走《ちそう》という訳だ。これも無縁仏を弔《とむら》ってきた僕の善行のお陰かな？」

「墓泥棒がよく言うぜ」

「あら、美味しいわね。でも霖之助さんは一度手を洗ってきた方が良いわよ。彼岸花《ひがんばな》の毒が付いてるかも知れないし」

「そうだな。って、霊夢も骨を触っていただろう？　手は洗ったのか？」

「当たり前じゃないの」

「でも、ずっとここに居たじゃないか」

「魔理沙。お茶のお替わりお願いね」

「なんだ、またかよ。お前、飲んでないだろ？」

　魔理沙が作った寿司のお陰で、店内はいつも通りの賑《にぎ》やかな雰囲気を取り戻した。むしろ喧《やかま》しいくらいである。僕は、いつも通り特技を使って、骨の事を考えるのを「完全に」止める事が出来た。もう明日からは、彼岸花は異形の花ではなく、美しき花に見えるだろう。僕はお勝手で手に付いた毒を洗い落としながら、そんな事を考えていた。

第十一話 紫色を超える光

聞いた事も無い耳障《ざわ》りな喧騒《けんそう》。

もうすぐ冬だというのに、嫌な暖かさのある空気。

眼を閉じていても押し寄せてくる光の洪水。

僕は恐ろしくて、眼を開ける事が出来なかった。


——色彩豊かだった外の景色は、紅《あか》く染まった葉が落ちるとともにくすんでいき、しだいに冬の色へと変化していった。

紅葉とは、生の象徴であった木の葉が少しずつ狂い、人間が理解出来る限界点に達した時に葉の紅く染まる事である。大抵の葉は、その後自らの変化に耐え切れず落ちていってしまうが、中には完全に狂ってしまう葉も存在している。その葉は、紅色を超えて人間の目には見えない色になってしまう。幻想郷の者は、この葉が落ちた後の色を「冬の色」と呼ぶ。人間は色が失われた景色を見てそう言っているのだが、もしかしたら妖怪の中には実際に冬の色が見えている者も居るのかも知れない。

店の中も冬の色に染まっていくのだが、外の景色の変化に比べると酷くはない。それは人間には知恵が有るからである。

❀

僕は、その人間の知恵の産物、即ち「ストーブ」の準備をしていたのだが……。

——カランカラン

「ああもうまったく、外は寒いな。こう寒くっちゃ冬眠も出来ないぜ……って店の中も寒いな。いつものストーブはどうしたんだよ」

「魔理沙か。ちょっと、ストーブの燃料を切らしているんだ」

「燃料だって？」

僕が使っているストーブは外の世界の拾い物で、燃料も外の世界の物である。だから一旦燃料を切らすと、なかなか手に入れる事が出来ない。いつもは最初から入っていた燃料や、他の拾い物に入っていた燃料、もしくは似た様な液体で代用している。

「いくら寒くても、いらっしゃいませの挨拶《あいさつ》くらいしたらどうだ？」

「お客様にはしているよ。いくら寒くてもな」

「あー店がこんなんだったら、ミニ八卦炉でも持って来るんだったぜ。とりあえず、燃料をどうにかしろよ」

　魔理沙は寒さに弱い。寒さの厳しい冬は、いつもの「キレ味」も三分の一程度になってしまう。

「何故《なぜ》か今年は、暖房器具が殆《ほとん》ど落ちていなかったんだ。だから燃料が集まらなかったんだよ」

「外の世界の冬は、もう寒くないのかも知れん。うらやましいぜ」

「冬が暖かい筈が無いだろう?」

「それで?　香霖はこのまま永眠するつもりなのか?」

「冬眠じゃあないのか?　って、冬眠もしないけどさ。まぁ仕様がない。本格的に冷え込む前に、何とかして燃料は手に入れる様にするよ」

　燃料を手に入れる方法も無い訳ではない。外の世界に行って手に入れるか、妖怪に分けてもらうか、だ。現実的なのは後者の方だが……妖怪だからな……。

「香霖にいい事を教えてあげようか?　香霖以外にも外の品を大量に持っている奴が、私の知り合いに居る。この間も『この道具は、遠くに居る者と会話が出来ますわ』とか言って自分の式神と話していたり……本当かどうか疑わしかったがな。そいつなら燃料ぐらい持っていると思うぜ」

「そいつは妖怪か?」

「——もちろん、妖怪だ」

　——カランカランカラッ

「ああ寒い寒い!　何か急に冷え込む様になったわね」

「霊夢か、いらっしゃい」

　そろそろ、何処《どこ》も冬支度の季節である。霊夢も、冬用の服を取りに来たに違いない。だから、今日は客なのだ。

「ちょっと、店の中も寒いじゃないの!　いつもの熱くなり過ぎるストーブはどうしたのよ」

「長い夏休みだそうだ」

「あれ?　居たの?　魔理沙」

「ああ、目の前にな」

　魔理沙は、ストーブの燃料が切れている事、それを手に入れる為にどうすれば良いのか、などを僕に代わって霊夢に説明していた。魔理沙はやはり寒いのが苦手の様である。

「その妖怪って……やっぱり紫《ゆかり》の事?」

「そうだ。あいつが一番外の世界に近い。霊夢なら居場所を知っているだろう?」

「知らないわよ。住んでいる場所も知らないし、神社にも来てほしくない時に来て、やっぱり来てほしくない時に来ないんだから」

「……いつも来てほしくないんだな」
「それに、もうそろそろ紫は出て来なくなるわよ」
「打ち止めか？」
「おみくじの大吉じゃないんだから。紫はね、いつも冬は出て来なくなるのよ」

霊夢と魔理沙の間で、本気なのか本気じゃないのか判らないやり取りが続いていた。そもそも、僕はその妖怪に頼むとは一言も言っていない。ただ、このまま燃料が手に入らないのもやはり困ってしまうのだが。

「そういえば、油揚げとか撒《ま》いておけば寄って来るわよ。紫のしもべの方が」

――翌日、僕は店先に油揚げを置いてみた。特に何かを期待していた訳ではないが、おまじないの様なものである。

今日も順調に気温が下がっていた。やはりこのまま冬になってしまうのだろう。いつものストーブが使えないのは不便だが、仕方があるまい。暖を取る方法を別に考えないといけないかも知れない。

このストーブを手に入れたのは数年前だった。最初は売り物にするつもりだったのだが、試しに使ってみて気が変わった。こんな便利な、いや使い難《にく》い道具など売ってはいけない。部屋の隅々《すみずみ》まですぐに暖まってしまい、冬であるという季節感を味わえなくなってしまう。面倒な薪《まき》も、煤《すす》で汚れる煙突も、暖炉のような大掛かりな装置もいらないので、体を動かす必要がなく運動不足になってしまう。すぐにこんな道具、売ってはもったいない、いや売ってはいけないと思った。

だが、今は久々に冬を味わっている。寒い。幻想郷の冬はこんなに寒かったのか……。昔使っていた魔法で暖める火炉でも引っ張り出してみるか……って、アレは魔理沙にあげたんだよなぁ。

カランカラン。店の入り口で音がした、早速掛かったか？

油揚げを置いてから、まだ一、二時間しか経《た》っていない。本当に油揚げが好きな奴なんだろう。こんなにすぐに罠に掛かるとは。

……って、誰も入ってこない。

「あーちょっといいかな？　君の使い主にちょっと用事が有るのだが……」

扉を開けたが誰も居ない。ご丁寧《ていねい》に油揚げも無い。何者かが来たのは確かの様だったが、こんなに素早く居なくなるとは思わなかった。もしかしたら狐《きつね》の仕業かも知れないが……。

自分から動かないで、望みの物を手に入れようという事自体

が間違っているのだろう。油揚げを置いておいただけで放っておけば良いというのは、何にも努力をしていないのと同じだ。

「ちょっと寒いが……こうしていれば、罠に掛かった獲物に逃げられる事は無い筈だ」

「……それで、さっきから油揚げを持って店前で突っ立ってたのか？　努力の仕方が間違っているぜ」

「ああ魔理沙、居たのか」

「居たぜ、目の前に」

「そうだ、僕の代わりにこうやって妖怪をおびき寄せてくれるかい？」

「誰がそんな間抜けな事をしなきゃいけないんだよ」

「妖怪のおびき寄せ方なんて、僕は専門じゃないからな。どうして良いのか判らなくて」

　魔理沙は「いいから、とりあえず店に入れ」と言って、店に入っていった。

　僕はせっかくだから手にしていた油揚げを入り口に置き、魔理沙の後に付いていった。

「あんな罠じゃあ、妖怪はおろか狐すら掛からないよ」

「それでも、さっきは何かが掛かりそうだったんだ」

「まあいい。あのストーブが使えないと、この店に来ても仕様がないからな。紫は探しといてやるよ」

「当てが有るのかい？」

「霊夢は、ああは言ってたけど、ちょくちょく神社で見かけるぜ。あの辺に住んでいるんだよ。きっと」

　魔理沙は、僕の代わりに紫を探しに店を出て行った。

僕は……本当にその妖怪に会いたかったのか？　ストーブだって、無くても別の方法で暖を取れる。そもそも幻想郷の皆《みんな》は、このような便利な道具は使っていないのだから。さらに言うと、その妖怪に会ったとしても、燃料が手に入る保証は、何一つ無い。僕は、ただ外の世界の事をもっと知りたかっただけじゃないのか？　外の世界と接点の有る道具を使い、外の世界と接点の有る妖怪に興味を持ち、少しでも情報を取り入れようとしただけじゃないのか？

僕が取り扱う数々の不思議な品。僕はそのたくさんの品に囲まれて、いつも外の世界を想像していた。

例えばオルゴールより遥かに小さいこの無機質で白い箱、僕の能力は、その箱がたくさんの音楽を蓄《たくわ》え、そして奏《かな》でる道具だと教えてくれる。だが、未《いま》だにその箱は僕には音を奏でてくれない。外の世界では、いったいどのような方法で、いったいどのような音を奏でていたのだろうか……。

僕は、その白くて小さな金属の箱を耳に当てて眼を閉じた。外の音が聞こえてくるかも知れない。

店の外で話し声の様な音が聞こえた気がした。もう魔理沙が帰って来たのだろうか、それとも油揚げに釣られて妖怪が寄って来たのだろうか——いや、何かが違う。

❖

聞いた事もない耳障りな喧騒。生き物が発しているとは思えない、耳に痛い音も聞こえる。

嫌な暖かさのある空気を肌で感じていた。突然、空気の温度も変化した様だった。こんな冬なら、暖房もいらないだろう。

眼を閉じていても押し寄せてくる光の洪水。何がそんなに光っているのだろう。太陽でも魔法によるものでもない冷たい光だった。

僕は直感で判った、今——僕は外の世界に居る。外の道具に囲まれ、この外の道具に想いを馳せる事で、僕の想いは結界を飛び越えたのだ。

……だが、僕は眼を開けられなかった。もし外の世界に居る事をはっきりと見てしまえば、もう幻想郷には戻れないかも知れない。神隠しに遭《あ》った人間の殆《ほとん》どは、二度と戻って来る事は無かったのだ。逆に、幻覚、幻聴だと思って眼を開ければ、想いは結界を越える事無く幻想郷に戻り、外の世界を見るチャンスを逃してしまうかも知れない。僕は、どちらを望んでいるのだろう？

そうだ、僕は外の世界の燃料が欲しかったんじゃなかったか？

僕には明確な目的が有る。外の世界に迷い込むのではなく、用事を済ませに外の世界を訪れるだけだ。僕の想いは香霖堂、いや幻想郷に置いたまま、肉体だけ結界を飛び越えるのだ。そう、人間には出来ない芸当だが……僕には出来る筈だ。

僕は、燃料を手に入れて店に暖かさを取り戻す為に、ゆっくりと眼を開けた。


——博麗神社。幻想郷の端《はし》の端に存在する神社である。

魔理沙は紫を探しに神社までやって来た。香霖堂を出発する時、店の前には油揚げが置いてあったが、もっと有効利用しようとそのまま持ってきていた。

「おーい、居るか？」

「んー？　居るわよ、目の前に」

「霊夢、お前じゃなくて、紫の方だ」

「どうしたの？　そんな油揚げ持って……」

「油揚げで寄って来るって言ったの、お前だぜ」

「狐だからねぇ」

「どうも、香霖は妖怪の捕まえ方がさっぱり判っていないみたいだったんで、仕様がないから霊夢に捕まえさせようかなと思ったんだ」

「ああそう、随分と勝手ね。取り敢えず、お茶でも飲みながら話しましょ？」

魔理沙と霊夢は、紫を捕まえる方法で盛り上がりながら、お茶を飲んでいた。


「紫はねぇ、もう冬眠してるかも知れないわよ？」

「冬眠たって、ただ出て来なくなるだけだろう？　どこに住んでるんだか判らないんだから。本当は、南の島にバカンスに行ってるだけかも知れんぜ」

「そうねぇ。ところで南の島って……何処《どこ》？」

「そこは掘り下げなくても良い。何か本当に紫を呼ぶ方法は無いのか？」

「仕様がないわね。紫はこれをやると怒るんだけど……」

「何だ手が有るのか」

「有るんだけどねぇ……。これをやると、危険だから止めなさい、って紫が出て来るの」

「出て来るんだな。それでいいんじゃん？」

彼女たちには危険という言葉は、あまり抑止力が無い。

「幻想郷の結界を緩《ゆる》めるの。外の世界の近くに居ると、外の世界に放り出されるかも知れないわよ？」


——光の洪水だった。明るさはあるが冷たい光だった。眩《まぶ》し過ぎてよく見えない。日本語とは思えない言葉での話し声。頭が痛くなるような生暖かい汚れた空気。外の世界のは……流れ着く本などで見た事があったが、こんなに五月蝿《うるさ》く、そして美しくないものだとは判らなかった。

落ち着いたら燃料を探そう、その後ゆっくり、幻想郷に帰る手段を探せば良い。

……眼が慣れてきた。ここは、この見覚えのある鳥居は……神社なのか？　神社に大勢の人が居る……。

「あら駄目よ、こんな所に来ちゃ。貴方はこっちに来てはいけないの。貴方は人間じゃあないんだから」

「!?」

あれ程《ほど》五月蝿《うるさ》かった音がピタリと止んだ。光もすべて消え、手には白い箱。周りは薄暗いが何故《なぜ》かよく見える……いつもの香霖堂店内だった。

どうも少しの間寝ていたらしい。僕は、薄暗くても暖かい灯《あか》りを点《つ》け、白い箱を棚に置いた。

こうやって寝ているだけでは、目的の物なんて手に入る筈が無い。僕は、さっき店の前に置いた油揚げに妖怪が引っ掛かっているか気になって扉を開けた。残念ながら、油揚げだけ持っていかれていた。

「やっぱり……狐の仕業かな?」

遠くに魔理沙と霊夢の姿が見えた。それともう一人の少女も見えたが、どうやら霊夢と魔理沙に説教をしながら歩いている様だった。珍しい光景である。

「あら初めまして。八雲《やくも》紫と申します。貴方が私に会いたいって言ってた方ね?」

目の前の妖怪は、派手な服装に派手な傘を持ち、人間ではない者特有の鋭い眼をしていた。それに笑顔が不吉である。

「ああ、どうも。会いたいというか、ちょっと仕事を依頼しよう

かと思ってまして」

僕は店内に案内しながら、紫を呼ぶ事になったいきさつ、ストーブの燃料の事などを話した。

「電気かしら？　灯油かしら？　それともニトロかしら？　まぁ、何にしたってお安い御用よ。そのくらい無尽蔵に持ってるし……困った時はお互い様、だもの」

満面の笑みを見せた。やはり不吉である。

「流石《さすが》は、妖怪ですね」

「流石は、私ですよ」

紫はそう言うと、音もなく長いスカートを翻《ひるがえ》し、店内を歩き始めた。

「……貴方の店、若干流行遅れの品ばかりね。最近の流行はね、携帯出来る物が多いのよ。携帯して遠くの人と話せたり、他人の記憶を携帯して小さなスクリーンに映し出したり……」

「うちは、流行は気にしていないのですよ。僕が気に入った物だけを取り扱っているんです」

「あら、この白い箱……。これは流行の品ね」

「ああ、それ……。それは音楽を大量に携帯出来るみたいなんですが、まだ使い方が判らなくて」

僕は、未知の道具の用途と名前を見る能力を持っている。だが、その能力は使い方までは教えてくれない。

「こんな物を耳に当てるから、さっきみたいに変な幻覚を見てしまうのよ。貴方は人間じゃあないんだから」

また満面の笑みだ。

「おい、早くストーブを点《つ》けてくれよ。寒いぜ」

「魔理沙、気が早いだろ？　まだこの娘と話をしたばかりだよ」

「あら、もう点きますわよ。ほら、燃料は一杯でしょう？」

確かに満タンだった。

「いつの間に……。ってずっとここに居たじゃないか、いったいどうやって？」

「困った時はお互い様、よ」

そう言って紫は、手に持っていたさっきの白い箱を服の中に仕舞いこんだ。僕はこの妖怪少女と知り合いになった事を早くも後悔し始めていた。

第十二話 神々の道具

「この道具は……外の人間は一体何を考えて作ったのだろうか」
僕は少し寒気を覚えながら、その道具を店の奥の棚に仕舞った。

こう見えても僕、森近霖之助はれっきとした商売人である。色んな道具が置かれたこの店『香霖堂』は道具屋であり、道具の殆《ほとん》どは商品である。売る為に外の道具を集め、客の為に店の扉は開かれているのだ。

それなのに、あいつらは客でもないのに店にやって来ては、人を偽《にせ》商売人扱いする。「どうせ売る気の無い物ばかりだろう?」と言う。客ではない者には売る気が無いだけだ。

確かに僅か……ではあるが、店の奥には売る気が無い物、趣味の物と言った非売品が存在する。これらの品は、店としては場所を取るだけで邪魔である。だが、僕にとっては商品より価値の有る物ばかりなのだ。これらの価値に見合った対価を払おうとした者はまだ居ない。

中でも最近酷《ひど》く気になっている道具が有る。余りの不気味さにより、誰にも相談出来ない様な品である。手に乗るくらいの大きさの灰色の小箱——材質はプラスチックと呼ばれる物だろうか? そういった、金属とも石ともつかない材質の道具である。最近はこの材質の道具は非常に多い。また、様々な形のボタンやスイッチの様な物も付いている。ただ、押しても何も起こらない。

それだけでは何も不気味な所は無いのだが、この道具の『用途』が奇怪なのである。そう、僕の能力は『道具の用途を見極める事が出来る』事だ。だからその不気味さは僕にしか判らない。それはこの小箱を非売品にするだけの不気味さである。

——カランカラン

「外は寒いぜ、香霖よぉ。まだ森の方がましだ」
「魔理沙か。店に入るなら雪は払ってからにしてくれよ」
「あー、払ってるよ。今」
不気味な小箱を隠す様に棚に置き、入り口の方に向かった。
「今払っても遅い。もう店内に居るじゃないか」

「客じゃないんだから、そのくらい良いだろう？」

「二重で良くないよ。商品が濡《ぬ》れたらどうするつもりだい？」

「どうせ売る気の無い物ばかりだろう？　店ん中非売品ばかりじゃないか。全然手放すつもりなんか無さそうだし」

「非売品だって濡れたら困る。というか、さっさと外で雪を払ってきなさい」

　魔理沙は渋々《しぶしぶ》外に出て行った。帽子の上に雪が積もっていたが、そんなに強く降っているのか……。まったく外に出ていなかったので雪が降っている事すら気が付かなかったのだ。

　それで良いんだ。過酷な冬は、人間の知恵の産物であるストーブの近くでじっと冬が明けるまで待てば良いんだ。

「お待たせ。外は寒いけど、陽《ひ》が出てきて綺麗だぜ」

「雪は止《や》んだんだな？」

「ん？　雪なんて最初から降ってないぜ」

「君の帽子に雪が積もっていたじゃないか」

「ああ、あれは森の木にやられたんだ。きっと巫山戯《ふざけ》た妖精の仕業かな？　人が木の下を通ろうとすると木を揺らせて雪を落とすんだよ。お陰で頭が重くてしょうが無かったぜ」

　何で雪を被ったその時に払わなかったのか気になったが、どうせ『首を鍛えていた』とか言うに違いないから訊かない事にした。


「何か最近面白い品が入荷したりしてないか？」

「そうそうこの間……」僕は言いかけて止めた。

　この間手に入れた道具、それはさっきの不気味な箱である。何が不気味かというと、あの道具の用途である。

　あの道具の用途、それはあらゆる物を操作出来る道具らしい。例を挙げると人間を操ったり、戦わせたり、戦争を起こしたり、場合によっては世界を滅ぼす事も出来るらしい。それではまるで神が使う道具の様である。どう見てもそんな大層な物には見えなかったが、僕の眼はそう教えてくれたのだ。

　暫《しばら》くその真偽を確かめていたのだが、使用法が解らず結局虫一匹動かす事が出来なかった。だから諦めて、非売品として店の奥の方に眠らせていたのだ。

「この間、何だ？」

「この間……変な夢を見たんだよ。嫌な空気、耳障《ざわ》りな音、眩《まぶ》し過ぎる光。見た事も無い景色だったけど、何故《なぜ》か見覚えの有る……」あの小箱の事を話すのはまだ止めておこう。

「全然関係の無い話だな。夢の話はどうでも良いぜ」

――カランカラッ
「ああもう。この店は危ないわね。霖之助さん」

「危ないって何がだい？　霊夢。これ程慎《つつ》ましい店も無いじゃないか」

　結局、昨日は魔理沙は暇潰しに来ただけだった様だが、余りの暇に耐えられなかったのか、またどっかに行ってしまったのだ。まるで雪の上を駆け回る犬の様である。

　今日の来客——いや客ではないが、霊夢である。いつも客ではない者しか来ないのは、この店が慎まし過ぎる所為《せい》なのかもしれない。

「慎ましいんじゃなくて、売る気の無い物ばっかり置いてある店でしょう？　それはともかく、霖之助さん全然外に出てないじゃない。それで暖房ばっか点《つ》けてるもんだから、屋根の雪が溶けて大きなつららでいっぱいよ？　あんなのが落ちてきたらもの凄く痛いわ」

「良いじゃないか。巫山戯《ふざけ》た妖精が店に来るおかしな人間を追っ払ってくれるかも知れないし」

「妖精がつららを落とすって言うの？　森の妖精じゃあるまいし」

「まぁいい、帰りにでも落としていってくれ。そのぐらいのツケはある筈だ」

「良いけどね。でも今日はそんなんじゃなくて、言付けを頼まれて来たのよ」

「言付け？」

「『暫くしたら例の物、取りに行くから』って。例の物って何よ？」

「……例の物って何だ？　そもそも誰の言付けだい？」

「勿論《もちろん》、紫の言付けよ」

　僕は紫が言ってる姿を想像して露骨に嫌な顔をした。お世話になっておいてこう言うのも何だが、あの妖怪少女の笑顔は物凄く不吉である。

「まだ冬眠していなかったのか」

「冬眠しているから言付けなのよ」

　そうか、あの妖怪少女ならきっとあの小箱の事も何か判るだろう。だが……一番渡したくない相手でもある。今まで勝手に持って行かれた道具も戻って来てないし、それに何やら嫌な予感がする。

「例の物ってまさかねぇ」

「とにかく、言付けといたからね。今日はちょっと買い出しに行かないといけないから」

　霊夢はそう言うと急ぎ足で出ていった。店に来ておいて「買い出しがあるから」と出て行くのはどうかと思う。うちでは買う物が無いと言っている様に見える。いや、言っているのだろう。

　僕は、あの灰色の小箱をまた取り出した。紫が言っていたという例の物とは、やはりこの箱の事だろうか。この箱は偶然拾った物だが、紫の物なのだろうか？

　幻想郷に落ちている外の道具は、結界の事故で落ちた道具、使う人が居なくなり幻想となった道具、それか所有者が突然消えた道具などである。もしこの道具が神の道具だとすれば、外の世界には神が居なくなったという可能性が高い。

　この道具が本当にあらゆる物を操作出来る道具だとすれば、今の危うい位置にある幻想郷なんてひとたまりも無いだろう。特にあの妖怪少女に渡してしまうと、何が起こるのかまったく想像出来ない。

　そんな不思議な用途の道具があるなんて、普通の人間だったら誰も本気にしないだろう。だが、僕には信じさせられるだけの根拠がある。

　今まで拾ってきた外の世界の道具は、幻想郷では信じられない様な物も作り出されているのだ。本気で世界を滅ぼせる様な道具も有るのかも知れない。僕は今の幻想郷に、外の大きな力を持ち込んで混乱させる事は、出来る限りしたくない。灰色の小箱は今はまだまったく動く気配が無いが、いつその神に等しい能力を発するのか判らないのだ。その能力が発動すれば、人を操り、争わせ、戦を起こし、世界を滅ぼしてしまうだろう。

　僕は、今の幻想郷が好きである。だからこの小箱は誰にも渡す訳にいかない。

　この様な危険な道具は壊してしまおう。木槌《きづち》でこの道具を壊してしまおう。

　僕はこの灰色の小さな箱に僅《わず》かな未練を持ちながら、思いっきり木槌を振り下ろした。

　――次の日、僕は久々に外に出掛ける準備をしていた。外に出掛けなければいけない用事が出来てしまったのだ。

　昨日は確かに小さな箱めがけて木槌を振り下ろしたのだ。だというのに……不思議な手応えだった。まるでフカフカの布団を叩いたかの様だった。驚いて木槌の先を見たが……。

　それは余り思い出したくも無い光景だった。なんと壊そうと振り下ろした木槌と小箱との間に……白い手が挟まっていたのだ！　そう、手だけの生き物が木槌を受け止めていた。僕は思いっきり叩いたつもりだったが、その手は（か細い女の子の手であるが）平然としている。手は木槌を払うと人差し指を立てて、僕の目の前で左右に振った。呆然《ぼうぜん》としている僕をあざ笑うかのように、その手は小さな箱を掴んで、箱とともに床に消えていったのである。

　その時は、何が起きたのか分からず暫《しばら》く呆然としたままだったのだが、冷静になって考えてみると何にも不思議な事は無い。

そんな事が出来る奴は、僕の知り合いの中でも一人しかいない。そう、あの娘が持って行ったに違いないのだ。一番渡してはいけなさそうな奴に。

　僕はあの娘の居場所は分からないままだったが、取り敢えず油揚げを用意した。

「――油揚げなんか作って……また店の前で棒立ちするつもりか？」

「魔理沙か、いつの間に店の中に？」魔理沙は僕のすぐ後ろに居た。

「何だか慌ててるみたいだったからな。黙って入ってきたぜ。深い意味は無い」

　そうだ、僕が動くより魔理沙に探してきてもらった方が何倍も効率が良い筈だ。

「魔理沙、お願いがあるんだが……」

「紫を捜してこい、って事か？　別に良いけどな」

「!?　何で僕が紫を捜してるって解ったんだい？」

「油揚げだ」

　魔理沙は快く引き受けて、来た早々だが外に出て行った。これで……この寒い中、僕は店の外に出なくてすむ。

　落ち着いて考えてみた、あの小箱は何だったのだろう？　僕の能力は恐ろしい用途を見せていたが、あれだけの小さな道具にそこまでの力は無いように思える。ただ、壊そうとしたら紫が持って行ったと言う事は、ただのガラクタでは無さそうだが……。

　黒色の安っぽいボタン、背面や側面には用途不明な小さな穴も開いていた。何より特徴的な事は、幾つかのボタンのすぐ上に、開閉不能の小さな窓が付いていた事だ。あの窓をずっと見ていると吸い込まれそうな程《ほど》、無機質で不気味だった。

　だが、重さはさほど無く、中身も大して詰まっていなかった様に思える。僕は危険と言うより、不気味さと、ほんの少しの寂しさを感じ取っていた。霊夢の様にもっと感受性の高い人間なら、何か感じ取れたのかも知れない。これを使用していた者が込めた、想いの様な物も見えたのかも知れない。

　……何故、手元に無くなってからの方が、あの道具の細部を明確に思い出せるのだろう。僕の眼は、能力が見せる幻像に曇《くも》らされているのだろうか。今度からは能力に頼らないで物を見る訓練もしなければいけないな……。

　……カランカラン

　扉を開ける音で気が付いた。僕は考え事をしつつ、少々寝ていた様だ。

「何だよ。私に人捜しを頼んでおいて、自分は良い旅夢気分か？」

「ああ、魔理沙か……。もう帰って来たのかい？」

「神社に居たよ。紫の奴。神社で呑気《のんき》にお茶を飲んでたよ。冬眠忘れてな」

「……それで、紫はどうしたんだい？」

「言付けを頼まれたぜ」

「また言付けか……。それで何だって？」

「ああ、『確かに今月分は頂きましたわ』だって」

なんと、あれは代金代わりだったのか。それにしても今月分だって？　毎月取り立てに来るつもりなのか？　僕は面倒な妖怪と取引してしまったものである。

「それから次の様に言ってたぜ、『この前、外の世界では携帯出来る物が流行《はや》ってるって言ったでしょう？　だからこういう道具もいっぱい落ちているの。これは携帯ゲーム機と言って、いつでもどこでも仮想の敵相手に、戦ったり滅ぼしたり出来るのよ……ってあらやだ、この灰色のはかなり古い機種ね。色もモノクロだし……もうこんな古いの、外の世界でも持っている人なんて余りいないわよ。今はねぇ、この小窓が二つ付いているのが流行《はや》っているのよ』だってさ。一体《いったい》何の話だ？」

「なるほどね。良い言付けだ」

外の世界では、今どのような『携帯ゲーム機』が流行っているのだろう。紫の言う二つ窓が付いた小箱も、流行が終われば幻想郷に落ちてくるのかも知れない。

静かに屋根のつららが落ちた。おかしな者が近づいてきたので、巫山戯《ふざけ》た妖精が悪戯《いたずら》しているのだろう。

第十三話 幽し光、窓の雪

……寒い。店内は、この世のものとは思えない程《ほど》冷え込んでいる。

店の中央にはストーブが置かれている。寒さの厳しい幻想郷の冬を過ごす為の重要なアイテムだ。今年は、ストーブを危うく何の効果も持たない飾りにしてしまう所だったのだが、今は何とか動いている。

……それにしても寒い。寒いというか店全体が冷たいのだ。このストーブは外の世界の物であり、いつもなら、ありえない程の熱を持つ。今も、これでもかといわんばかりの外の焔《ほのお》があたりを照らしている。これで寒い筈が無いのだ。本来なら。

でも……寒いのだ。というのも、朝から店内が幽霊でいっぱいになっていたから仕方がない。幽霊の温度は非常に低いからだ。店内はこの世のものではない幽《かす》かな光で包まれている。その光は窓の外の雪に反射し、店内を幻想的に演出していた。ストーブの現実的な光とは対照的である。

生憎、僕はこれら幽霊たちの声を聴く能力を持たない。ここに居る無数の幽霊たちの目的を、知りたくても知る事が出来なかった。こういう事は僕の専門ではないのだ。

……この寒さのままでは、今年の冬は越せそうにない。少々荒い手段だが、専門家に幽霊退治をお願いするとしよう。荒い手段だと思うのは、これらの幽霊には悪意が感じられなかったからだ。

僕は神社まで出向くのが面倒だったので、店の中で退屈そうにしている幽霊に「神社に行って巫女を呼んできてほしい」と伝えてみた。ああ、何て滑稽《こっけい》な図だろう。僕は幽霊を退治する為に霊夢を呼ぶというのに。

でも、退屈そうな幽霊は二つ返事(といっても人魂《ひとだま》の頭部分が上下に動いただけだが)で飛び出していった。どうやらこっちの声は聞こえているらしい。それにしても、ここにいる幽霊は陽気で気楽で非常に良い。冷たくなければもっと良いのだが。

幽霊の冷たさが世の役に立つのは、主に夏である。夏の暑い夜に、人間たちは好んで幽霊を探し、そして涼むのである。そ

れが肝試《きもだめ》しであり、肝試しが夏によく行われるのはそういう理由である。

生きとし生ける者すべてが生の温度を持つ。人間でも妖怪でも同じなのだ。逆に道具の温度は周りと同じになる。幽霊が冷たいのは、生きている者とも道具とも違うという、幽霊の自己主張なのかもしれない。

――カランカラッ

「いったい何よ？　霖之助さん。人を呼び出したりして」

霊夢が来た。あの幽霊はちゃんと役目を果たしてくれたようだ。

「何って、この状況を見れば判ると思うけど、君にこれらの幽霊を退治、いや追っ払ってもらおうかと思って」

「幽霊？　でも、最近多いわよね。神社にも幽霊がいっぱい来るわ。困るのよねぇ」

それは暗に「私では幽霊は退治出来ない」と言っているのだろうか。

「寒いんだ。こいつらが居ると」

「幽霊だからねぇ。でも、追っ払う前に何で集まっているのかを調べる方が先じゃないの？」

「……寒いからなぁ。それは部屋が暖かくなってから調べられれば良い」

「そんなもんかしら。そんなんじゃ根本的な解決には繋がらないと思うけどねぇ」

霊夢はそう言いながらお札の準備をしていた。幽霊除《よ》けの護《ご》符《ふ》だろうか。

「いくつかお札を貼っておくわよ。気休めにしかならないけどね」

「ありがとう。でも直接手を出さないなんて霊夢らしくないな。幽霊は苦手かい？」

「私は、妖怪退治をする人間よ。幽霊は妖怪ではないの」

霊夢は店のあちこちにお札を貼っただけで帰ってしまった。

なるほど、確かに幽霊が近づかなくなったようだ。ただし、お札のごく僅《わず》かの距離だけだが。店内は相変わらず幽霊だらけのままである。これではまるで意味が無いので、お札を自分の近くや寝床、大切な商品の近くに貼る事にした。

よく見ると、幽霊の一部は寒そうにしながらストーブの周りに集まっていた。寒いのは誰の所為《せい》だ、と言いたくもなるが、冷たい幽霊も必ずしも寒いのが好きな訳ではないらしい。

それはそうだ。幽霊はもともと人間である場合も少なくないのだ。幽霊の好みや性格も生前と大きく変わらないのだろう。

幽霊たちをよく観察してみると、興味津々と元気に動き回っている者、ストーブの周りから動かない者、幽霊同士で話し合っている（様に見える）者、様々である。

考え方だって様々であろう。でも、その様々な幽霊たちが何故、突然うちに集まって来たのか。そこだけは、意志が統一出来たのか。もし、幽霊の声を聴く事が出来たならば、どれだけ楽な事だろう。


死者の声を聴くというと、イタコという職業を思い出す。ただ、殆《ほとん》どの人間はイタコの能力を誤解している。イタコは死者の声を聴いているのではない。口寄せを依頼した人間から発する無意識を、イタコが言葉にして伝えるのだ。だから、依頼人と関係の薄い死者の声を聴く事は出来ない。また依頼人が目の前にいない状態で口寄せする事も出来ない。

もし、依頼人の親子、夫婦、恋人以外の死者を呼び出していたら間違いなくインチキである。逆に、親子、夫婦、恋人であるのならば、たとえ死んでいなくても口寄せを行う事が出来る。

巫女はイタコと同じ能力を持つと思われるが、少し違う所がある。巫女は、神の言葉を口にする。あらゆる物に神が宿るので、道具であろうと声を聞く事も出来る。ただ、その声は一方通行なのだ。いわば神の独《ひと》り言をそのまま言葉にする様なものだ。


外が静かである。雪が降っているのだろう。幽霊たちは、実は長い旅の途中で、外が雪だからここで小休止しているだけなのかも知れない。

霊夢がお札を貼っていっただけで積極的に退治しなかったのは、やはり幽霊と妖怪は異なるという事だろう。幽霊というだけでは退治するという理由にはならないのだ。妖怪とは違って。

僕は、ストーブを点《つ》けっぱなしにしたまま寝る事にした。幽霊だって寒かろう。……いや、僕が寒いのだが。


——ドンドンドン！

夜が明け、まだ日も昇ったばかりだというのに、扉を叩いている者がいる。

雪はすっかり止み、雪の光と凍った空気で、幻想郷は白色で包まれていた。

——ドンドンドン！

「すみませーん！　ちょっと、貴方の店で調べたい事が有るのですがー！」

——ドドドド……ドサ
あーあ、扉を叩いて店を揺《ゆ》らし過ぎるから……。昨夜はあれだけ雪が降っていたし、店は一晩中ストーブを点《つ》けていたから、屋根の雪も緩《ゆる》んでいただろうし。

「まだ、開店まで随分と時間が有るんだが……いったい何の用だい？」

でも、扉を開けても誰も居ないじゃないか。

いや、扉の前に雪の山がある。雪の山から二本の剣と片足が飛び出している。

　これでは客も入って来られないだろう。後で雪かきをしないといけないな……ってそうじゃなくて。どうやら目の前の雪の山が「来客」らしい。

　雪かき用のシャベルは何処《どこ》にあったかな、って中に柔らかい物が入っているようだから乱暴に掘り起こすのは危険かも知れない。

「うー……」

　目の前の雪の山からうめき声が聞こえる。

「自分で出て来られるかね。いったい何の用だい？　まだ朝も早過ぎて店を開けていないんだが」

「う、動けない……。少しくらい雪をどかすのを手伝ってくれてもいいでしょう？」

「声だけ聞こえれば取り敢えず用件は聞ける。手伝うのはその後でも良いんじゃないかな？」

「うーっ、うー」

❈

　僕は、声の聞こえた付近だけ雪をどけてみた。そこには来店一番に屋根の雪に反撃を受けた、間抜けな少女の頭が見えた。

「ぷぅ、冷たいー、って手足が動かないよぉ。雪を全部どけて下さいよー」

「雪は、体を動かすと圧縮されて固まってしまう。だから」

「だから、じゃあなくて……」

「で？　いったい何の用だい？」

「しくしく。貴方の店で調べたい事が有るの、しかも急ぎで。だから訪れただけなのに……」

「調べたい事？　もしかしてこの幽霊の事？」

「そうです」

「ならば話が早い。雪をどかしてあげよう」

「って、違う用だったらこのままだったの？　あーもう……」

「今度からは、店には丁寧に訪れる様に」


しばらく雪をどかしたら、少女は動ける様になって、雪の山から出て来た。店の扉を開けると、ばつが悪かったのか、恥ずかしそうに僕の後をついて来た。

魂魄妖夢《こんぱくようむ》という変わった名前を名乗った少女は、店に入るなり寒そうに震えていた。上下緑色の服を着ていて、広がったスカートは短くて寒そうだ。おかっぱ頭は必要以上に幼く見えるが、登場の仕方からしてやっぱり幼いのだろう。もっとも特徴的なのは、背中に携えた背丈程もある長刀と腰の辺りの短刀である。店に来るのにこんな物騒《ぶっそう》な物を持ち歩いているというのは、何というか……強盗《ごうとう》だと思われてもおかしくない。そりゃ、店も拒絶するだろう。雪を落としたりして。


「寒いのなら、そのストーブに当たると良い。昨日から点《つ》けっぱなしなので暖まり過ぎているくらいだから」

「あ、ありがとうございます。では早速」

店に入るなり、丁寧な態度になった様な……。もともと「こういう」娘なのだろうか。

「あ、熱過ぎるかも知れないから火傷《やけど》には気を付ける様に……」

ストーブの方を見てみると、少女は緩《ゆる》んだ表情をしていた。割とだらしない。やっぱり霊夢たちと同類かな？

ストーブの上のやかんのお湯が危《あや》うく蒸発しきる所だったので、外からつららと雪を持ってきて入れた。

「そろそろ良いかな？　まず、何の用かい？　君は、この幽霊の事を調べに来たと言っていたけど」

「そうですね。ここの幽霊って、なぜ集まっているのか判りますか？」

「判っていたらもっと面白い事をしているよ」

「では、貴方が意図的に集めた訳ではないのですね」

集めてどうしようというのだろう。それはともかく、さっきから気になっているのだが、ひときわ大きな幽霊がいつの間にか入り込み、ストーブを独占するように鎮座している。

「幽霊が集まってくる前に、何か変わった事は有りませんでしたか？」

「その前に、君はいったい何者だい？　その刀で幽霊の退治をするのかい？　それとも、ただの好奇心なのか……」

「ああ、申し遅れました。私はこの幽霊たちが集まっている原因に心当たりが有るのです。私はこう見えても幽霊なのです。半分だけですが……」

何だ、人間じゃないのか。じゃあ妖怪退治も幽霊退治もお願い出来そうにないな、って幽霊？

「幽霊だって？　いつから幽霊が君みたいな実体を持つ様になったんだい？　亡霊じゃあるまいし」

「ああ、もちろん私の『こっち』は人間部分ですよ。私の幽霊部分は『あっち』」

少女はストーブを独占している大きな幽霊を指した。

幽霊使いみたいなもんか。なら幽霊の扱いには慣れているだろう。幻想郷には変わった職業もあるもんだ。

「ですから、もう一度訊きますが……。最近何か変わった事は有りませんでしたか？　例えば何かを拾ったとか……」

「ある日突然、幽霊が集まって来たよ」

僕は少女の訊き方で、彼女の意図が読めた気がした。

「いや、それは判っていますので」

「君は、何か心当たりが有ると言っていたね。でも、こちらから原因を聞き出そうとしている。それはつまり、君にとって余り堂々と言える様な事ではないからなのかな？」

「う。そ、そんな事はないですよ」

「では、その心当たりを言えばいいじゃないか」

「そ、そうですね。……では率直に訊きますが、貴方は『人魂《じんこん》灯《とう》』を拾ったりしませんでしたか？」

人魂灯？　そんなもの拾ったっけな。拾い物なんてたくさん有るから、つまらない物は覚えていない。

「その人魂灯が有ると何だっていうんだい？」

「人魂灯は、無数の幽霊を誘導するのに使う物で、元々冥界にしか無い道具です。この道具の光は、どんなに離れていようと、障害物が有ろうと、幽霊には見る事が出来るのです。だからそれを見て集まって来てしまいます」

「あーそうか。人魂灯って……」

そういえば、冬に入る前に無縁塚でそんな物を拾った様な気がするな。あれは何処《どこ》に置いたっけ？

「ここに有るのですね!?」

少女は何故《なぜ》か嬉しそうだ。

「ああ、確か拾った気がしたよ。ずいぶんと前だけど……、でも灯《ひ》を入れた記憶は無い。ちょっと待ってな」

「良かったぁ」

去年の秋に拾った商品の山の中から、それっぽい物を見つけた。手のひらサイズの行灯《あんどん》のような物だったが、確かに何故《なぜ》か灯が点《つ》けられている。

「これだね？　人魂灯は」

僕は道具の名前と用途を知る能力を持っているのだ。

「それです。それです。良かったですー」

「勝手に灯が点いたみたいなんだけど……、この冷たい光は、人《ひと》魂《だま》の光かな？」

「うう。そのへんはあまり気にしないで下さい。で、その人魂灯ですけど、それを捨てれば幽霊は集まらなくなります」

なるほどね、つまりはこういう事か。

「君が店に来た理由が漸《ようや》く飲み込めたよ。僕は、君に幽霊が多いとは言ったが、困っているとは言っていない。この人魂灯は君がうっかり無くしてしまった物だね？　君は幽霊使いだから、これが無いと困るという訳か」

「う。幽霊使いではないですがー」

「本当は、この人魂灯が欲しいんだよね。本当の理由を言わないと渡せないなぁ」

「うーしくしく」

少女は漸く、自分の来た理由を語り始めた。

少女は、冥界にある大きなお屋敷で住み込みで働いているらしい。人魂灯は、そのお屋敷のお嬢様から預かった大切な道具だった。だが、出先でうっかり落としてしまったらしい。この少女らしい気もする。

無くした事に気が付いたのだが、既にいつ何処《どこ》で落としたのかも思い出せなかったし、お嬢様にも相談出来ず途方に暮れていたそうだ。暫《しばら》くは仕事の合間に探していたが、何の進展も無く、次第にその事を忘れてしまったという。この少女らしい、のか？

「結局、幽々子《ゆゆこ》様にバレてしまって……散々怒られたのです」

「それはそうだろうな」

怒られた理由が、無くした事なのか、それとも無くしたのを伝えなかった事なのか、彼女には判っているのだろうか。

「幽々子様は、どこにいてもその人魂灯を灯《とも》す事が出来るとおっしゃっていたので、それで幽霊の集まった所を探してこい、って」

何処に在っても灯す事が出来るのなら、きっと何処に在るのかも判っているのだろう。そんな都合良く「灯す事だけ」しか出来ないなんて事はあるまい。目の前の彼女に探させるつもりだったのだ。やはり、無くしたのを伝えなかった事に怒っていたのだろう。

つまり、僕はこの道具を拾った所為《せい》で、幽霊に囲まれて寒い思いをして、その上彼女の勉強のだしに使われたという訳だ。

「君は、捜し物が見つかってひと安心、って顔をしているが……。この人魂灯は、すでにうちの『商品』だよ。もちろん、ただでは渡せない。まだ店は開いていないけど、特別に売ってあげようじゃないか」

「え？　そんなぁ！　返して下さいよう……」

「おっと、この人魂灯に目を付けるとはお目が高い。これはなんと冥界の品で、なかなか手に入る物じゃないよ？　値段もそれ相応だけど」

「しくしく……」

――カランカラン。

「よう！　昨日はすごい雪だったな」

店を開くなり、寒がりの魔理沙がやって来た。

「魔理沙か。扉は静かに開けないと危ないよ。屋根の雪が落ちるから」

「あれ？　でも屋根に雪は無かったぜ。というか珍しいな」

「何がだい？」

「香霖が屋根の雪下ろしをするなんてさ。いつもだったら、そういう体力仕事はやらないじゃないか」

❈

今朝、少女が店を訪れてから既にかなりの時間が経《た》っている。雪が降っていれば、積もる事も有り得るくらいの時間だ。逆に言えば、雪かきをすれば広範囲に渡って行う事が出来るだろう。

「ああ、親切な人間が居てね。屋根雪も、店の周りも全部雪をかいてくれたんだよ」

「ふーん……あれ？　妖夢じゃないか、ここに来るなんて珍しいな。そんなにストーブに近づかなくても店内は暖かいだろう？」

　彼女には朝から開店まで屋根の雪下ろしをしてもらったので、凍えていても仕方がない。

「もう、体が冷え切って……。魔理沙っていつもこんな酷《ひど》い店主を相手にしているの？」

「ああ、してやっているぜ。酷い奴だろ？」

「それは聞き捨てならないな。酷いとは何だい？　君は物を買う為に店に訪れて、その上、手ぶらだって言うじゃないか。それでは幻想郷は生きていけないよ」

「冥界と比べて、幻想郷は厳しい所です……」

「あはは一、そんな事ないぜ。これほど気楽な所もない。お前は、まんまと香霖に騙されて、雪かきをさせられたんだな」

　何となく、この少女は、霊夢や魔理沙にいつもからかわれている様な気がした。それもこの少女の未熟さと真面目さ故《ゆえ》だろう。雪かき程度、人生の勉強代としては安いもんだ。

第十四話 無々色の桜

雪で覆《おお》われた幻想郷は、春が近づくにつれ徐々に色を取り戻していた。冬の白色は山の低い部分から消えていく。だがそれと入れ替える様に、山の低い部分から再び白色に染まっていく。春の白色、桜である。

香霖堂の窓からも桜がよく見える。こんなに景色が良いので、わざわざ外に出て花見をしようと考えるなんて間違っているのだ。花見なんて店の中で十分じゃないか。騒がしいのも好きではないし、いつも会っている者同士で花見をしても嬉しくない。一人で静かに店の中から桜を見る。これ程優雅な、いや幽雅《ゆうが》な花見も無いじゃないか。花見に出掛ける人間とは、森の中だとか余り景色が良くない家に住んでいる哀れな人間か、妖の桜の魔力に操られてしまっている『目出度《めでた》い』人間くらいである。

――カランカラン

「さあ香霖、花見の季節だぜ。神社で毎日」

「魔理沙か。帽子に花びらが積もっているよ。払ってから来なさい」

「ワザと載っけてきたんだがな」と言うと、魔理沙は外に出て帽子をぱたぱたと振った。

魔理沙の家が在る魔法の森には桜の様な気の利いた植物は無いし、そもそも森は常にまっとうな人間を拒《こば》むのだ。魔理沙が桜の花を見て浮かれるのも至極当然である。

「で、行かないのか？　花見」

「花見か……。今日は別の用事が有るので遠慮しておくよ」

魔理沙に付いていったら相当騒がしい花見になるだろう。僕は騒がしいのは好きではない。

「いつも暇そうにしている癖に。用事って何だ？　時間が掛かるのか？」

「ああ、別の花見があるんだ。静かな花見が」

「そう、お通夜みたいな花見でもするんだな」と言うと、魔理沙は出て行った。

僕は静かな花見を再開した。一人で店の中から桜を見る花見は、この上ない贅沢を感じさせ、そのまま夜も更《ふ》けていった。

次の日もますます桜が見事になっていた。

昨日は一人で花見と称してぼうっと見ていただけだったので、今日はもう少し高尚《こうしょう》な花見でもしようかと思う。高尚といえば、本を読む事である。

僕の書庫には幻想郷の本だけではなく外の本も多い。だが、いずれにしても桜を取り扱った本は非常に多いのだ。同じ植物でも達磨草《だるまそう》を取り扱った本は皆無《かいむ》に等《ひと》しいというのに。

それだけ、桜というのは日本人にとって特別な花という事だろう。昔から人間も妖怪も桜の色に狂わされる。ある者は桜の下で浮かれ騒ぎ、またある者は死について考え、感傷的になる。すべては遙《はる》かな過去を見てきた桜の仕業《しわざ》なのだ。

——カランカランカラン

「居ますでしょうか？」

「いらっしゃいませ」この間の半人前少女——妖夢の様だ。

「あ、この間はどうもありがとうございました。お陰《かげ》さまで幽々子様にはちょっと怒られただけですみました」

「それは良かったですね」

ちょっとの度合いが判らないが、あの後、魔理沙に聞いた話だとこの娘は、幻想郷中のはぐれ幽霊を集めさせられたり、まだ見つかっていない死体を探させられたりした様だ。すると先日のアレはお仕置きの真っ最中だったのだろうか。

「と言っても僕は商品を売っただけですが……今日も捜し物を買いに？」

「いえ、今日は店の前を通りがかったので、お礼も兼ねて花見に誘おうかと思いまして」

通りがかったから、ってのを言わなければお礼としての格が上がると思うのだが……。それにしてもまた花見のお誘いか。

「お嬢様の庭の桜は、ここの桜の何倍も見応えがあるのですよ。と言っても今日は神社でお花見ですけど」

「うーん。生憎《あいにく》今日は別の用事が有るんでねぇ」

「そうですか。まぁ桜は逃げないのですが桜の花は逃げますので、咲いているうちにいつか花見に来て下さいね」

妖夢を追い返し、彼女のお屋敷の桜の何分の一しか見応えの無いという桜を見ながら本を読んで、そのまま夜も更《ふ》けていった。

次の日も一段と桜が見事になっていた。

ちなみに昨日読んだ本とは、勿論《もちろん》桜が出てくる本である。これも回りくどい花見だ。何故《なぜ》桜の下で桜の本を読むのかというと、それは人生を楽しむ為である。人生の楽しみ方を知らない者ほど短絡《たんらく》的で感情的なものだ。桜を見て「わぁ綺麗！」だとか「こんなもん綺麗なだけじゃないか」だとか「桜の楽しみ方とは云々《うんぬん》」など知った様な口で語るのは、自らの愚かさを露呈《ろてい》しているだけだ。何故なら自分の思いついた事をそのまま口にして満足しているという、非常に短絡的で幼稚な行為だからである。それしか言えないようでは人間も、式神や道具とさほど変わらない。

余所《よそ》の桜とも過去に見てきた桜とも比べる事もなく、眼前の桜をただじっと感じていると次第《しだい》に本当の花見が見えてくる。こうした回りくどさが、高尚さに必要な事なのだ。

今日は、まだ出しっぱなしだったストーブを片付ける事にした。流石にこれを出したままでは春が実感出来ない。でも些《いささ》か心許なく感じるのは、朝や夜はそれなりに冷えるからだろうか。

ストーブといえば昨日来た妖夢を思い出す。実はあの娘が言っていた見事な桜というのが少し気になっている。そもそも桜と幽霊とは繋がりが深く、幽霊が大量に居るというお嬢様の庭、そこに有るという桜と言ったら……それなりな因果を感じてしまう。

幻想郷にも妖怪と化した植物も少なくはない。特に桜は人の死を誘い、多くの魔力を持っている。また桜ではないが、魔法の森もそういった危険な植物でいっぱいなのだ。木は、人間より、時には妖怪よりも遙《はる》かに長く生きている。幻想郷の歴史をすべて見てきているのは……幻想郷の木々たちだけなのだ。

――カランカラン

「いらっしゃいますか？」

「いらっしゃいませ」

「そりゃ店を開けてるから貴方はいらっしゃると思いますけど」

やって来たのは、久しぶりの吸血鬼のお嬢様――レミリアとそのメイド――咲夜の組み合わせだった。

「神社に誰も居なかったので、霊夢がこっちに来てないかなーと思って……」

お嬢様の方はよく見ると桜色の服である。吸血鬼は人の血を吸い長く生きている。桜の木と根底にあるものは同じかも知れない。

「いや、ここのところ暫《しばら》く霊夢は見かけてないよ？」

「今日は神社で勝手にお花見でもしようと思って来たのに、勝手に居ないんだから」桜色の吸血鬼が理不尽な文句を言った。

「そうだ、貴方もお花見に行きません？　神社へ」

「霊夢は居なくても良いのかい？」

「霊夢が居なくても桜は咲いているわ」

「それに神社は空《あ》けっぱらっているから、食べ物もお酒もありますよ」と笑顔のメイド。こんなメイドが居るんじゃあ、おちおち店も留守に出来ない。

「誘ってもらって嬉しいですが、まだ店が営業中ですので……。今日は遠慮させていただくよ」

「霊夢を見かけたら神社に戻ってくるように伝えて下さいね」と言って二人は戻っていった。

僕は、ストーブを片付けながら桜を見ていて、一日が終わってしまった。

次の日も際限なく桜が見事になっていた。

昨日は結局、探していた霊夢は見つかったのだろうか。尤《もっと》も、霊夢が留守でも桜の下でどんちゃん騒ぎをしている姿が容易に想像できる。夜には霊夢も戻ってきて、勝手に盛り上がっていたみんなに憤慨《ふんがい》している姿も思い浮かんだ。

桜色の吸血鬼と紅白の巫女。巫女の紅と白を混ぜれば桜色になるのかも知れない。だがその違いは大きい。紅と白が混ざらずに居る事、すなわちそこには境界が生じているのである。日本では古来から、紅白は『目出度い』とされ、逆に目出度《めでた》くない時は黒白を使われてきた。注目すべき事に、相反する二つの風習には共に白色が入っている。とすると、単純に紅が縁起《えんぎ》が良く、黒が縁起が悪い、という風に見えるが、実際にはそんな事は無い。やはり白は必須なのだ。

ならば白とは何を指しているか、と考える。まず、白は色として認識されていないのだ。何故なら、如何《いか》なる色にも変化する事が出来る唯一の色だからである。数字でいえばゼロに当たるだろう。一方、紅は人間の血の色であり、生命の象徴でもある。それは人間が最初に感じる生命の色であり、すなわち原初の色なのだ。これは存在そのものと考えても良い。

つまり、紅と白の間には存在と無の差がある。紅白の境界が『目出度《めでた》い』のはその為だ。交互に紅白の色を使いその境界を強調するのは、その境界線が物事の始まりを意味していて、だからこそ昔の人は縁起が良いと考えたのだ。

では、黒白はどうだろう。白が色として認識されていないのと同時に、黒も色として認識されていなかった。黒はただの闇であり、闇の中ではどんな色も黒になる。そこから生み出されるものは何も無い。白がゼロならば黒は虚と言う事だ。ゼロと虚である以上、黒白の境界は何も実体、つまり生命を生み出さない。紅白と黒白の違いはまさに、この世とあの世の違いと類似し、紅白が生を象徴とするように、黒白が死を意味するようになったとしても何も不思議な事ではないのだろう。

では、桜の色は何故《なぜ》人間を惑わせ、多くの者を惹《ひ》き付けるのだろうか？

——カラン

「……桜が白くなっているわ」

「いらっしゃ……」

扉が開いた音がしたのに、何故か店の入り口には誰も居なかった。

「明日のお花見は楽しみね」

「!!　……いつの間に店の中に」

店の奥から現れたのは八雲紫だった。僕はこの少女がちょっと苦手である。何を考えているのか判らない上に、どこか見透かされている気がしてならないからだ。近くに居られると、非常に居心地が悪い。

「それにしても、ここの所皆《みな》は毎日お花見をしているみたいだけど、休憩は必要無いのかい？」

「いいえ、明日が初めてですわ。お花見は」

「そう……君は神社に行ったりしていなかったのか」

霊夢の周りの者達は揃《そろ》って馬鹿騒ぎしているイメージがあった為、ちょっと意外な気がした。

「いいえ？　毎日神社に居ましたわ。でも、明日が初めてのお花見です。本当の桜が咲くのも、明日が初めてですわ」

言っている事がよく判らなかったが、今日は花見ではないらしい。僕はと言うと、花見に誘われたら今日は行っても良いかなと思っていた所だったので、少々肩すかしを食らった気分だった。仕様がない。今日もお茶でも飲みながら一人花見をするとしよう。

「今日は桜の白さを確認しに来ただけですわ。それでは今日も神社に向かいます。神社の紅《あか》い桜の下に……。そうそう。関係無いですが、紅白の旗がお目出度いのは正八幡《しょうはちまん》が源流だって、知ってました？　普通忘れますよね、そんな昔の事」

そう言うと紫は、返答も待たずに入り口から出て行ってしまった。僕は、彼女の会話の展開が予想出来なくて、いつもまともに聞き取れない。会話というのは、相手が次に言う事を予想出来るからどんな速い速度でも成り立つのだと思う。予想出来ない言葉は念仏の様なものだ。


僕はお茶を淹《い》れながら桜を見た。言われてみれば余所《よそ》の桜に比べるとうちの桜は白いようだ。桜の種類だけに起因するものではないだろう。何故ならそもそも去年まではこんなに白くはなかったからだ。ともかく明日は花見に参加しよう。誘ってくれたらの話だが……。


次の日、昨日までのが嘘みたいな満開だった。白い波は店を押しつぶすかの様に膨《ふく》れあがり、もはや店の窓の外には桜しか存在しないかの様に見えた。

そうか、元来桜はここまで咲く事が出来るのか。自然はいつも予想を超えてくる。所詮《しょせん》、予想なんて幻想の足下にも及ばないという事なのだろう。

というか、冷静に考えてみると、少し咲きすぎじゃないのか？

桜の花というのは、春風が吹かなくてもそんなに長持ちはしないものだ。儚《はかな》いはずのものがここまで出しゃばってくると、逆に不安を感じてしまう。この桜は本当に散るのだろうか……。

❖

——カランカラッ
「居るかしら？」

「いらっしゃ……ああ、霊夢か」

神社で連日花見をやっている筈の霊夢が来た。霊夢は準備と片付けで四六時中忙しそうだから、魔理沙辺りがうちに来るかと思っていたが。

「最近、お花見ばっかりでねぇ。ほぼ毎日誰かが家に来るのよ」

「それだけ、神社の桜が見事って事なんだろう？」

「そうねぇ……」

珍しく、何か歯切れの悪いものを感じた。流石《さすが》の霊夢も連日花見で、疲れているのかも知れない。

「今日は店の裏を借りるわよ」

「店の裏？　借りるっていったい？」

「それはもう、お花見に決まってんじゃないの。今日は店の裏でお花見をやるわ」

ああやっぱり、連日花見でも疲れる訳が無いか。

「みんな言ってたの。香霖堂の裏の桜がもうすぐ咲きそうだって。

だから見に来たんだけど、もうちょうど良い状態になっているじゃないの」

　昨日までの桜では彼女らにとっては『まだ咲いていない』状態だったのか。僕だけが満開だと思って一人花見をしていたという訳か。もしかしたら、最近とみに来客が多かったのも、店の裏の桜の状態を確認する為だったのかも知れない。

「余り騒がしいのは好きじゃないんだがな……もう他の皆《みんな》も呼んでいるのかい？」

「いえ、桜の様子を見に来ただけで、誰も呼んでいないわ。でも、暫《しばら》くすれば皆自然とここに集まってくると思う」

「何故《なぜ》だい？」

「そういうもんだもん」

　それが霊夢の自然なのか。霊夢にとっては、自分の居る場所に人が寄ってくる事が当たり前であり、当たり前だからこそ強い関心を持たない様に見えるのだろう。

「霊夢が言うんだからもうすぐこの店は騒がしくなってしまうんだろうな。今日は店をたたむとするか、恐らく商売になるまい」

「あら、いつも開店休業じゃないの」

「お客じゃない人間はよく来るんだけどね」

「この店には欲しい物が置いてないだけよ」

✻

　店の裏の白い桜。白は無色であると同時にあらゆる色の基底《きてい》になる。虹の七色も根底に在る色は白だ。その白い桜に、原初の色である紅を加えて紅白になると、後は様々な色を呼び込むだろう。花が自ら白くなっていったのも、満開と同時に紅色の霊夢が来るのも偶然ではない。すべてはこの妖怪じみた桜の仕業だったのだ。そして霊夢が来る事によって人が集まり始めるだろう。誰も気が付かないうちに桜の魔力で操られているのである。

　桜の花は、人を惑《まど》わして自らの下に集める事だけを考えて咲いている。何十年も何百年もの間、集める事だけを考えていたら、例え植物とはいえ不思議な力を持つ様になるだろう。店の裏の桜は、自らを白くする事によって人目を惹き、霊夢の紅を呼ぶ事で、紅白どころか虹の七色を手に入れようと考えたのだ。

　この桜の策略に気が付いているのは恐らく僕だけである。こうやって人間を操るうちに段々と妖怪と化していくのだろう。人間に害をなすような魔力を持ってしまったら、人の手に負えない代物になる。店の裏の桜も、いつの間にかそんな智慧《ちえ》を持つようになっていたという事だ。

　……だがまぁ、それも良いだろう。桜を見て騒ぎたくなるのも、

死にたくなるのも、集まりたくなるのも、至極自然な事なのだ。何しろ桜は、紅と白を併《あわ》せ持つので色の誕生を意味し、色の誕生は生の誕生である。まさに季節の始まりなんだから、本当は桜が咲いたときを正月にするべきなのだ。流石にそれは無理かも知れないが、せめて僕だけでも正月気分で居るとしよう。桜の魔力に操られるのも悪くない。

「どうしたの？　何かお目出度《めでた》い顔をしてるわよ」

「そりゃ正月だから『目出度い』さ」

「随分《ずいぶん》と遅い正月ね」

「ちなみに紅白が目出度い理由を知っているかい？」

「そんなの……巫女だからに決まってんじゃないの」


窓の外に、桜の白の中に黒いのが混じって、こちらに近付いて来るのが見えた。

けれども僕には、何故かこの黒は縁起の悪い物には見えなかった。

第十五話 名前の無い石

元来この世のあらゆる物には名前は付いていない。この世は様々な物すべてが混ざった混沌の世界だった。だが、太古の神々がこの世の物一つ一つに名前を付けて回り、今の世の様に秩序の取れた世界が生まれた。物に名前が付くとそこに境界が生まれ初めて一つの物として認識される。謂《い》わばその命名の力は無から物体を生み出す創造の力であり、まさしく神の力に等しい。そして、その強い力故《ゆえ》、物は名前を付けられた事を覚えている。だから僕はその名前を視る事が出来るのである。

僕は窓を開け、店内に夏の風を取り入れていた。外は人が出歩くには厳しい夏の日差しだった。店内はそれ程でもないが、それなら少し風でも楽しもうと、僕は窓に風鈴を釣り下げた。

——カランカラン

「居るよな」

「居るけど……何か嬉しそうだね。魔理沙にしては珍しくもなく」

「珍しいのか何なのか判らないぜ」と言いながら魔理沙は帽子を取り、売り物の壺の上に腰掛けた。冷やかしに来た割には、随《ずい》分《ぶん》暑そうだ。

外はすっかり夏である。大きなスカートとふわふわの服。大きな黒い帽子と魔理沙の重装備では、暑くないのかと心配だが大きな帽子は日光を避けられるので案外快適なのかも知れない。

「あー暑過ぎて頭が煮えるぜ。それでこんな物拾ったんだが、これって外の世界の石だろう?」

「あー?」

魔理沙が四角い小さな石を取り出した。驚くべき事に金属の足が何本も生えている不思議な石だ。

「これは……確かに外の石だが」

「そうだろうそうだろう。こんな変な石が幻想郷に有る訳無いもんな。それで、何か面白い物なのか?」魔理沙は嬉しそうだ。

「これは半導体《はんどうたい》と言って、外の世界ではよく使われている人工の石だ。基本的には式神を扱う時に使う物だが……残念ながらこれ単体では何の役にも立たないよ」

「あーそうなのか？　何が足りないんだ？」

「そこまでは判らないが、これはもっと大きな道具のほんの一部でしかないよ。本来こういった石は幾《いく》つか組み合わせて使うんだ。そうすると式にありとあらゆる事を命令出来るらしい」

「そうか、これ一つだと足りないんだな。ま、取り敢えずお守りにでも使わせて貰《もら》うよ」そういうと魔理沙は半導体《はんどうたい》を帽子のリボンに付けた。


　魔理沙は自分が持って来た石の正体が判り、満足した感じで本を読んでいた。半導体はちゃんと使う人が使えば、ありとあらゆる事が出来ると言われている。具体的な使い方は判らないが、それでもありとあらゆる事が出来るのだからお守り程度には使えるのだろう。大きさ的にも親指大程度で邪魔にならないし丁度良いのかも知れない。

　魔理沙にとって、名前が判るまではこの半導体もただの石である。ちょっとばかし黒くて足が生えているだけの石だ。名前が付いていなかった魔理沙の世界では物の区別をする事が出来ない。でも僕に名前を聞く事で、たちまち石は単独で動き出し、晴れてお守りになったのだ。

　しかし、別に僕が名前を付けた訳ではない。名前は既に付いていのだ。僕と魔理沙の違いは、ただその名前が見えたか見えないかだけに過ぎない。道具になった気持ちで見つめ、道具が視てきた記憶を共有する。それが道具に対する愛であり、その愛さえあれば名前を知る事ぐらい朝飯前である。

——カランカラッ
「居るかしら？」

「おう居るぜ」

「あ、居た居た魔理沙、ってあんたじゃないわよ！　霖之助さんの方は居る？」

「ああ霊夢か、居るよ。今日は何の用かな？」

「霖之助さんに見て貰いたい物があるの」と言いながら、霊夢は勝手に店の奥へ上がって行った。

「何だい？　お茶ならこっちに出してあるよ」

「ああそう。準備が良いじゃないの」戻ってくると手には煎餅《せんべい》を持っていた。ちゃっかりし過ぎだ。

「で、見て貰いたい物ってなんだ？」何故か僕の代わりに魔理沙が訊《き》いている。

「そうそう、この石を見て貰いたいんだけど……」


　また石である。やはり霊夢も外の石か何かを持って来たのだろうか。別に石なんて大喜びで拾ってくる様な物ではないと思うが。石がそのまま道具になるなんて、漬け物石か火打ち石ぐらいな物だし。

「結構大きいな。でも普通の石じゃないのか？」と魔理沙。

「よく見てよ！」

「ちょっと見せてごらん。……ほう、これは」

手渡された石は、動物の背骨の一部分の様な形をしていた。

つまりこれは石ではなく骨だ。それ自体は珍しい物ではないが、ただ、大きさが異常だった。背骨の一部だとすると手のひら程《ほど》もあるのは、かなり大き過ぎる。

「これって何かの骨でしょう？　所謂《いわゆる》化石よねぇ。霖之助さんなら何の化石か判ると思って来たの」

ふむ。この石は確かに『化石』に見える。

「骨の化石か。もしこんな大きな骨の動物が生きていたら相当でかいぜ？　きっと香霖堂よりもでかい。昔はそんな大きな動物も居たんだな。これは何て言う動物の骨なんだ？」

魔理沙も死んだ動物の骨の化石だと思っている様だが……本来化石という物が地面に埋まっている筈は無い。化石というのは骨を掘り出した人が後日化石にした物だ。それに昔はこんな大きな動物が居たと言うなんて勘違いも甚《はなは》だしい。僕は二人に、この骨が何の骨なのか、化石と呼ばれる骨には現代では考えられない程極端に大きい物が有るのは何故か、を教えてやらねばなるまい。

「ああ霊夢、魔理沙。君達は大きな勘違いをしている様だね」

――夏の日差しが強ければ強い程店の中は暗くなる。店には所狭《ところせま》しと品が置いてあるが風通しは悪くない。幻想郷は山であるため基本的に風は絶《た》えず、夏の店の中は快適である。

　夏の風が窓に釣り下げた風鈴を鳴らす。だが香霖堂の謎の商品がカタカタと風に揺れ、風鈴の音をかき消していた。こんなに商品を風に当てていたら、すぐに傷《いた》んでしまうだろうと思っていたが、どうせ大して売れないし新しい品もどんどんと入荷するので気にしていなかった。勿論《もちろん》、本当に貴重な品は全て別の所に保管してあるのだが。

「勘違いって何かしら？　誰がどう見てもこれは骨の様な気がするんだけど」

「ああ確かにこれは骨だよ。でもね、化石ではないんだ」

「どう見ても石になっている様な……」

「化石というのは、『石となった骨の元の動物に名前を付けた石』の事なんだ。生きていたときの動物に名前が付いて初めて化石となるんだよ。それまでは名前が無いので石と区別が無いに等しい」

「だったら、この石の元の動物の名前を霖之助さんに聞けば、これは化石になるんでしょう？」

「確かにそう言う事になるが……実際にはそれも無理な話だ。この動物はまだ神々が名前を付ける以前の生き物だから、名前の無い動物なんだよ。こればっかりは僕の能力でも知る事の出来ない物なんだ」

「そう、じゃ、発見者である私が名前を付けて良いのね？」

　名前を付ける力が神の力であるのと同時に、神々には元々名前は付いていなかった。建御雷命《タケミカヅチノミコト》や八幡《はちまん》様の様に、今現在馴染《なじ》みのある名前の付いている神は、その神の一側面を切り出した物に過ぎないのだ。建御雷命は元々甕霊《ミカヅチ》であり、名前の通りカメに宿る神だったのだ。それが名前を建御雷に変えられた事で、呪術（＝甕）の神が剣（＝雷）の神になった。名前が付いた事でその神の性質が変化するのは、名前は神の一側面を切り出したものであるという証拠だ。元々の神はもっと姿形も曖昧《あいまい》で、名も無きものと区別も付かなかったと言う事である。

　逆に言えば、本来の姿のままの神は、名前を付ける以前の物にしか宿る事は無い。名前が付いている物に神が宿っても、その神の一側面のみを表す事になってしまうからである。

「君はこれを骨じゃなくて化石にしたいのかい？」

「そういう訳じゃないけど……名前が判らないと気持ち悪いじゃないの。それにこんなに大きな動物がどういう生き物だったのかも気になるし」

「この骨の持ち主が大きかったって？　それが一番の勘違いなんだ」

「だってぇ……」

「こんな大きな骨を持った動物を想像してごらん。高さはこの店を遥《はる》かに超える、長さも神社の境内くらいあるだろう。そんな生き物が生きていける訳がないじゃないか。まず十分な食料を集めるのにどのくらいの量が必要か、それに体を支えるだけで精一杯で速く動く事も出来ないだろう。どうやって子供を守りながら大量の餌を集めるというのか？　動物にそんなに体を大きくする必要なんて、何一つ無いんだよ」

「え？　でも、ここに骨が在るじゃないの。それにこういう化石、というか化石みたいな物って余所《よそ》でもいっぱい見つかってるし……これとかあれって何なの？」

珍しく魔理沙は興味無さそうに本を読んでいる。そんな大昔の動物の話などどうでも良いのだろう。だが、これは大昔の動物の話ではないのだ。現在進行形の話である。

「この骨の持ち主は元々普通の大きさだった。今僕たちが知っている大きさの骨だったんだ。その動物が死んだ後、肉は土に還《かえ》り、残された骨は次第に大きく成り続けた。その証拠に、こういった大型の化石が発見され、騒がれ始めたのはつい最近の話だ。その昔はもう少し小さくて、発見されても騒ぎにはならなかったんだよ」

❖

「死んだ後に骨が勝手に大きくなるって言うの？　そんな事有る訳が無いじゃないの」

「勿論、普通はそんな事は起こらない。では何故《なぜ》この骨は大きくなったのか……そう、その理由はこれが化石じゃなかったから。この動物は、まだ名前が付けられるより前の動物だからなんだ」

僕はお茶を手に取った。既にお茶はぬるくなっていたが勿論わざとである。暑い夏に平気な顔で熱いお茶を飲むのは霊夢くらいだ。

「名前が無い事で、この動物は認識レベルでは他の物と区別が付かず、世界と同化していた。石とも骨とも土とも動物とも言えず、ただそこに在っただけなんだ。それは神の本来の姿に近く、それ故《ゆえ》神はこういった名も無い物にしか宿らない。そして神の宿った骨は、遥《はる》か未来に肉を得て地上に君臨する為に、自らを成長させているんだ」

「ちょっとちょっと待ってよ。話が飛躍し過ぎてよく判らないわ」

「そう？　簡単な話だよ。霊夢の持っている骨は何らかの神の化身になろうとしている者の一部なんだ」

「そうなのかなぁ」

「大きくなり続けるのもその証拠の一つ。でも、もっと確かな証拠が有る。それは、僕の能力で視ても名前が判らない、というか名前が無いという事だ」

「そう……そこまでは私では判断付かないけどね。それで、この骨は何の神の化身になろうって言うのかしら？」

「そんなのすぐに想像出来るじゃないか。その大きさの背骨を持つ神の化身。幻想郷でもたまに見かける神だけど……霊夢には何だか判るよね？」

「あー、なるほどね。そういう事……判ったわ」


日も沈み始め、空はほんのりと赤く染まっていた。すっかり昼間の暑さは引き、風鈴の音だけが昼間の暑さを思い出させようとしていた。二人とも満足した様子で帰って行った。

流石《さすが》に僕でも、神々が名前を付ける時代以前の物の名前を視る事は出来ない。だが人間はその時代の骨を見つけ、勝手に名前を付けてしまう。その時点で名も無い神の一部からただの石へと固定させてしまう。それが化石と呼ばれる物だ。

化石と化した神の一部は、その時点で成長を止めもう大きくならなくなる。その中途半端に巨大化した骨を見て「昔はこんなに大きな動物が居たんだよ」等と言う人間は、想像力が足りな過ぎて少し哀れでもある。

――カランカラッ

「あ、もう一つ聞き忘れた事が有ったわ」


風鈴を仕舞《しま》い窓を閉めていると、また霊夢が戻って来た。

「何だい？　また骨の話かい？」

「霖之助さんの話で、この骨が『龍《りゅう》の一部』で有る事は判ったわ。でも、この骨が落ちていた場所に古い貝の化石も見つかったのよ。これって海の生き物よね？　これは何故なのか判るかしら？

もしかして、幻想郷も昔海の中だったのかしら。こんな山奥なのに……」

想像力に乏《とぼ》し過ぎる人間は、端《はた》からは哀れに見えるものだ。『海の生物が地中に埋まっていたから、ここは昔は海だった』と思うなんて哀れ過ぎる。

「そうか、龍の骨と一緒に海の貝も埋まっていたか……。それでどうして幻想郷が昔海の中だったなんて思うんだい?」

「え? だって、そういうもんじゃないの? 海だった場所が陸地になれば、貝だって取り残されるし」

「そういうもんじゃないさ。徐々に陸になったとすれば海の生き物はすべて海に逃げる。反対に一瞬で陸になる程の異変が起これば、貝なんて原形を留めていないだろう。どっちにしたって、石になるまでじっとしているなんて事あり得ないだろう?」

「そうだけど……じゃあこの貝は何なのよ」

「龍にとってはね、自分の生まれる場所が海である必要があるんだよ。骨の場所が海でないと復活が出来ないんだ。この貝はその見立て」

「そんな話聞いた事無いわ? 龍が海でないと復活が出来ないなんて」

神の話は、僕より巫女である霊夢の方が詳しくあってほしいと思ったが、霊夢はまだ子供だ。ここは僕がもっと教えてやる必要がある。


「龍は、海の中で復活し雷雨の中、空へ昇り、そして天を翔《かけ》る。その証拠に、海も雨も天もすべて龍が名前を付けた物である事が挙げられる」

「詳しいのね。本当かどうか判らないけど」

「その理由は、海、雨、天はすべて同じ言葉で、三つとも『あま』と読む事からも判る。海人は単体でも『あま』と読むが、正確には『あまびと』だ。雨傘《あまがさ》、天の河《あまのがわ》などは普通に使う言葉だ。龍は雷雨を呼びながら天を飛び、竜宮が海の中に在るように水と深い繋がりが有る事は霊夢でも判るだろう?」

霊夢は少し疑っている様子だったが、僕は霊夢の想像力をもっと豊かにする為にそのまま続けた。

「もう一つ、龍が三つの『あま』を駆け抜ける証拠として挙げられるのが、天に掛かる『虹』だ。あの虹が雷雨の後に現れるのは、龍が現れたという痕跡なんだ」

「あー、なるほど。それは何となく判ったわ」

「そう、龍が生まれるには三つの『あま』が必要となる。雨と天は在るが、幻想郷には海が無いんだ。だから龍は幻の海を創ろうとした。その幻の海の見立てが、一緒に眠っていた貝の石なんだ」

霊夢は得心がいった様子で、暗くなる前に神社に帰って行った。

今日、僕が霊夢と魔理沙に教えた龍の石の話は、何も僕の創作ではない。これは僕しか知らない事だが、実は化石と呼ばれる石は外の世界でも竜と呼ばれているのだ。恐竜、翼竜、海竜、様々な呼ばれ方をしている。今の様な話は幻想郷の外では常識なのだと思う。

ところが、幻想郷では竜（＝動物）は龍（＝神）へと変化し、化石ではなく生きた骨となっている。何故その様な事が起こるのかと言うと、それは幻想郷では元の動物に名前を付けていないからだ。名前を付けない事で、骨は化石になる事を拒《こば》み成長を続けるのだ。

僕は、名前の無い時代の物には名前を付ける事はしない。自分の能力で名前が視えない物に関しては、深く記憶を探らない。それは神の力を無断で借りる行為であり、己の驕《おご》りでしかないと考えている。

第十六話
働かない式神

これといって何か反応するという訳ではないが、僕は売り物のキーボードを叩いていた。キーボードとは、コンピューターという道具の一部であり、これでもかといわんばかりに無数のボタンが付いている道具だ。売り物だから常に綺麗にしておきたい所だが、このキーボードの掃除のし難《にく》さは群を抜いており、すぐに埃《ほこり》が詰まる。非常に人間味のない形をしていると言わざるを得ない。

コンピューターは、うちの商品の中でも入荷率、つまり幻想郷で拾得する数が高く、それでいて欲しがる人は少ない厄介な代物である。しかもそこそこの大きさで場所を取る。最近は、コンピューターを見つけても余程《よほど》興味を惹《ひ》かれる形をしていない限り拾わない事にしている。

コンピューターとは使役者の命令通りに動く道具、所謂《いわゆる》外の世界における式神の事だが、その異常なまでに複雑な構造と面白みの無い外見は、外の世界の文化の在り方を物語っている様だった。

幻想郷では式神とはいえ体面を気にしていて、狐なり猫なりと多種多様な姿をしていて面白いものが多い。それもその筈、本来の式神とは、元々式神となる前の姿が存在し、そこに必要な機能を与えてやる事で形成されるものだ。式神の道具としての部分が一番重要な事は当たり前だが、式神そのものの体面が無くなれば本末転倒である。外の世界では、外面より内面ばかりを気にする様になってしまったのだろうか。それは些《いささ》か心に余裕が無さ過ぎるのではないか。

――カランカラン

「おう、少し肌寒くなってきたな。半袖の季節ももう終わりかな」

「ああ、君はまだ半袖だったのか。いつまで夏のつもりで居るんだい？　もうそろそろ暖房でも出さないと寒いくらいだよ」

「あーいや、私も寒がりな方だが暖房はまだ早い、って何だ？　その珈琲《コーヒー》は。そんな口の細い瓶《びん》に入っている珈琲なんて珍しいな」

魔理沙が珈琲と指摘した飲み物は、名前は似ているが珈琲で

はなくコーラという飲み物である。外の世界の飲み物だ。飲み物ぐらい使用方法が判らなくても、用途さえ判れば飲む事は出来る。

「なんだ？　コーラって……ってあんまり拾いもんは飲むなよ？」

「大丈夫だよ。これは売り物だし、香霖堂は拾い物を売る店だから」

　我ながら何が大丈夫なのかよく判らなかったが、魔理沙は納得した様で机の上に腰掛けた。

　日が傾《かたむ》くのが早くなる一方である。既に空は赤く、有無を言わさず家に帰りたくなる色をしている。秋の日は釣瓶落《つるべお》としとはよく言ったものだ。だが、釣瓶落としの速さはスピードの速さであり、秋の日が沈むのは時間の早さだから釣り合いが取れていないと僕は思う。もしかしたら今の解釈は間違っていて、もっと深い意味が有るのかも知れない。今度暇《ひま》な時に考えてみる事にしよう。

「そうそう。そこにあるコンピューター。一台貰《もら》えないか？」

「おおそうか。買ってくれるんだね？　このお買い得商品を」

「いや、金は無いけど、ちょっと式神っていうのも面白そうだからな」

「金は無いって、まあツケでもいいけど……」

　買う気が無いのに商品を物色する事をひやかしと言うが、代金を払う気が無いのに商品を持って行こうとする事は何と呼べばいいのか。魔理沙買いとでも言うか。

「ああツケでもいいぜ」

「ツケでも、って他にどんな選択肢が有るのか判らないが、とにかくちゃんと払ってもらうからな。さて、コンピューターも幾《いく》つか種類が有るが、大きなコンピューター、小さなコンピューター、君ならどちらを選ぶかい？」

「そりゃ大きいのだな。大きい方が強いんだろ？」

　魔理沙は大きいコンピューターをどうにか抱え、既に薄暗くなった外へ帰って行った。小さな彼女には不相応な大きさの道具だが、それを力強く持っている姿を見ると非常に魔理沙らしいと思ってしまうから不思議である。道具は通常、大きい物程《ほど》仕組みは単純なものである。魔理沙が持って行った大きなコンピューターも見た目はシンプルなものである。しかし、驚く事にその中身は複雑怪奇であり、幻想郷の者の手に負えない代物《しろもの》である。

このコンピューターの様に複雑な式神は、外の技術無くしては創れない。コンピューターに限らず、食器から新聞に使う様な紙切れまで、殆《ほとん》どの道具は外の世界の技術の賜物《たまもの》だ。妖怪が日常食べる人間も人間の心も、その餌食《えじき》となる者は外の世界の人間である。閉鎖空間である幻想郷は、外の恩恵により保っている様なものである。よく「長い物には巻かれよ」と言うが、長い物に巻かれる方がいいというのは、決して楽だからとか安全だからとかではない。すぐ小さな所へ逃げてしまう堕落《だらく》した己を鍛え直す為の教訓である。己をより大きな所に置き、視野を広くする方が学べる事は多いからだ。

閉鎖空間である幻想郷に閉じこもっていると、次第に外の世界の恩恵に与《あずか》っている事を忘れてしまう。幻想郷に限らず、己の置かれた場所が小さければ小さい程別の大きな物の恩恵に気が付かない。そんな状態なのに、外の世界より幻想郷の方が優れていると思う様になったら、それは驕《おご》りである。人は小さい所に居る者程《ほど》、よく驕り、向上心を失う。今の幻想郷を見てみれば判るように、人間も妖怪も堕落した生活を送っているのだ。

僕は、いつかは自分の修行の為に外の世界に行きたいと思っている。つまり長い物に巻かれたいという事だ。そこで自分を磨き、今の僕の知識をさらに活《い》かす事を夢見ているのだ。

最近拾うコンピューターは、さまざまな用途の中でも特に情報伝達の機能に特化していると僕の能力がいう。こんな四角い箱で自ら動くとは思えない様な式神が、一度動き出せばもの凄いスピードで情報を集めてきてくれるというのだが……僕にはその姿が想像しがたい。

情報を集める式神を創りたければ、嘘でも天狗《てんぐ》のような姿にすれば良いのである。そうすれば最初に魅力的なコンピューターが生まれ、後に本当に情報を集める機能が生まれる筈である。その考え方が幻想郷の普遍的な真理なのだ。

寝る前にコーラの空き瓶を見た。コーラは少し口が酸っぱくなるが瓶の形がどこか楽しげで見て楽しめるという点では、これは幻想郷向きな飲み物なのかも知れない。外の世界の式神もこのくらい面白みの有る外見なら、もっとうちの店でも売り上げが伸びた事だろう。そんな事を思いつつ夜を過ごした。

――カランカラッ

「霖之助さん。居るわよね？」

「ああ居るよ」

「魔理沙から聞いたわよ。何か拾い物で食い繋いでいるありさま

だって？」

コンピューターが無くても幻想郷の情報伝達は異常に早い。昨日の事だというのに既に霊夢にまで情報が伝わっている。だが、その情報は既に変化し別の物になっているのだが、コンピューターが集める情報もやはり変化するものだろうか。

✽

「拾い物で食い繋いでいるって、僕はただコーラを飲んでいただけだよ」

「コーラ？　なんだか判らないけど拾い物でしょう？　余り得体の知れない物は飲まない方が……」

霊夢はコーラの空き瓶を手に持ち訝《いぶか》しんでいた。コーラの内面は黒い飲み物である。だが、外面である瓶に面白みのある形を用意し、外面を軽視していない。この辺には高い智慧《ちえ》を感じる。コーラを創った人間とコンピューターを創った人間は本当に同じ人間なのだろうか。

「それから昨日、魔理沙がコンピューターを手に入れたって喜んでいたけど、あれってこの店の売り物でしょ？　勝手に持って行っているとしたら一応報告だけでもしておかないと……」

「ああ、それは売ったんだよ。別に持って行かれた訳じゃないさ。ただ、アレを手に入れた所で何も起きないだろうね。最近判ってきた事だが、あの式神は我々のよく知る式神とは少し違う所が有るんだ」

「見た目でしょ？」

「見た目も……まぁ確かにそうだが、それより概念が異なる。通常我々のいう式神とは、『パターンを創る事で心を道具に変えるもの』だ。つまり幻想が実体を生む物なんだ」

「式神にワンパターンな奴が多いのはその所為《せい》ね」

「だが、このコンピューターは自ら動く心を持っている様には見えない。最初から道具なんだよ。僕はこれを、『パターンを創る事で道具を心に変えるもの』だと想像する。つまり実体が幻想を生む物という事だ」

「ピンと来ないわねぇ。自分で動く人形のような物かしら？」

「外の世界では幻想というものは実在しない。いや、実在しないものを幻想と呼んでいるんだ。だからこそ人間は幻想を生む道具を生み出したのだろう」

「ふーん。そんな式神を魔理沙が持って行ってどうしようっていうのかしら？」

「どうせ鉄くずとなって放置する事になるだろうね」

――カランカラン

「聞いたぜ。まだ鉄くずにはなっていない」

「ああ、居たのか。魔理沙」

「コンピューターがうんともすんとも言ってくれないから、ちょっと休憩に来たんだ。コーラは無いのか？」

「コーラは薬みたいな物だった。余り美味しい物じゃなかったよ」

「人形くらいに便利な道具になるかと思ったんだがなー」

　魔理沙は扉の前に立ち、まるで悪戯《いたずら》好きの妖精を取り逃がしたかの様に、露骨に残念そうな顔をしていた。

「人形？　人形が便利な道具だって？」

「ほら、人形に家事手伝いをさせている奴も居るじゃないか。アレだって式神の様なもんだろう？」

「何を言ってるんだい？　人形に式なんか覚えさせられる筈が無いじゃないか」

　また魔理沙が勘違いをしている様である。魔理沙は怪訝《けげん》な顔をしながら売り物に腰掛けた。霊夢は霊夢で勝手に小さなコンピューターを弄《いじ》っている。霊夢が弄ると動き出しそうだから少し怖い。

「動く人形を式神みたいなものだと言ったね？　そういう事もあり得るかも知れないが、今の幻想郷では人形は式神たり得ない」

「そもそも式神と言われてもよく判らないけど、使い魔の様なもんだろう？」

「使い魔と人形は近い部分も有る。使い魔と式神も近い部分は有る。だが、式神は人形とは異なるものだよ」

「じゃあ何だよ。命令通り動いていたり、働いてたりするの見た事があるぜ？」

「人形は……操られているだけだ」


いつの間にか魔理沙の顔が紅く染まっていた。夕日が沈んできたのだ。これから昼の時間が短くなっていくので、いよいよ妖怪の力が強くなる一方である。

昨日、釣瓶落としの事を少し考えたのだが、秋の日は釣瓶落としの『釣瓶落とし』とは、『井戸に落とす釣瓶』の事ではなく『妖怪の名前』だという事ではないか。釣瓶落としは、闇夜に木の上から襲いかかる妖怪である。つまり、秋が深まると釣瓶落としが出やすくなるという事ではないだろうか。これなら、速度と時間の問題は生じない。


「そりゃ人形は操られてるだろうけど、式神は違うのか？　式神もみんな操られている様に見えるんだが……」

「人形は手を動かすのに、手に繋がれた紐《ひも》を引っ張る。歩いている様に見せるには、手足の紐を交互に動かす。生きている様に見せるには、そこら中の紐を引っ張る」

「紐なんて有ったかなー」


「別に紐でなくてもいいんだよ。魔法でも何でも、何らかの力で操っている事は間違いないんだ。人形が右手を動かす為には、誰かが右手を操らなければいけない。人形に家事手伝いをさせるには、家事手伝いをさせる様に操らなければいけない」

「器用だな。自分で家事をやった方が楽なんじゃないか？」

「楽だろうね。でも、同時に操るほど器用ならば、楽ではないが一人では出来ない事が可能になるじゃないか」

「そうか。って事は、人形と会話するのも、人形と会話していると見える様に操っている訳か。何ともさもしい一人芝居だ」

「そして、式神は使役者の命令通りに動くものなんだ」

「って、何だよ人形と同じじゃないか」


霊夢はコンピューターを前にして、動かない事に諦《あきら》めてお茶を飲んでいた。コンピューターには余り興味が無いらしい。


「まったく違う。式神は命令通り動く事で、別の力を得るものなんだ。さっきの人形の例と比較して言うと、たとえば式神の右手を動かす為には右手を引っ張ったりはしない。手を挙げろ、と言うだけでいい」

「式神は生きているからな」

「生きているだけじゃ命令を聞いてくれないだろう？　僕が君に

手を挙げろと言った所で挙げるかどうか」
「挙げるぜ。ほれほれ」
「本当にひねくれた奴だ」
「じゃあ何か？　私がコンピューターを使役するには何が必要なんだ？」

ちょっと話している内に店内は、一段と暗さを増していた。もうすぐ、釣瓶落としが跋扈《ばっこ》する時間になってしまうだろう。もっとも、この子たちなら喜んで釣瓶落としを探し出してちょっかいをかけるに違いないが。

「それはそうだな……。コンピューターが言う事を聞くくらいの力を持つ事。つまり、『長い物に巻かれる』事だ」

幻想郷で、このコンピューターが使える時が来るのだろうか。現状を見る限り、幻想郷にいる者が外の世界の恩恵無しで生活出来る様になる事はあり得ないだろう。だとしたら、コンピューターを使役するには外の世界に行くしかない。

幻想郷の情報の伝達は速い。それは好奇心旺盛《おうせい》な者が多い所為《せい》であろう。外の世界の式神が自分の代わりに情報を収集する程度のものならば、今の幻想郷には必要無いのかも知れない。

僕は働かないコンピューターを見て思う。己の修行の為にも、いつかは『長い物』である外の世界に巻かれる必要が有る。幻想郷は外の世界の恩恵に身を委《ゆだ》ねているから自由気ままに暮らせているのだ。その事は、外の世界の品を扱っている僕だから

こそよく判る。

　自分たちは幻想郷に閉じこもりながら、外の世界から都合の良い物だけを受け取り、自立している振りをしている。それは、もし外の世界が滅べば幻想郷は道連れとなってしまうという事を意味している。その上、幻想郷にいては外の世界に影響を与える事も出来ない。幻想郷に住む者たちが外に出て行かず小さな場所で生活しているのは、それが一番楽である事が判っているからだ。

　どうせ魔理沙は、コンピューターに家事手伝いでもさせて楽しようと考えていたのだろうが、その狭い空間ならではの堕落した考えでは外の道具は真の姿を見せないだろう。

　僕が式神を扱うようになるとしたらコンピューター以外は考えられない。いつかはコンピューターに命令し、今の何倍もの力を身に付ける時が来るまで、外の世界の事を勉強するとしよう。

「どうした？　暗くなってきたしそろそろ帰るぜ？　コンピューターの動かし方は判らなかったし」

「そうそう、拾い物は余り口に入れないようにね」

「おお、もう結構な時間だな。ってそうだ、二人ともちょっと待って。帰る前に一つサービスしてあげるよ」

　僕はそう言いながらお勝手の方である物を探していた。そう、僕を含む幻想郷の者たちがこの式神を働かせる為に足りない物は、もっと積極的に長い物に巻かれる事なのだ。

　僕はコーラを魔理沙と霊夢に差し出した。

第十七話 洛陽の紙価

事実は情報の上に建つ砂上《さじょう》の楼閣《ろうかく》。何故か定期的に発行されていた号外は幻想郷の風に舞い、無責任な記事は人の口を通して幻想郷に浸透した。記事の内容は古い物から新しい物、誰もが知っている物から真実かどうか疑わしい物まで様々である。

我々が知る事実の殆《ほとん》どが、情報の上に成り立っているものだ。どこかで事件が起きたとしても、それを目の当たりにする機会は殆《ほとん》ど無く、運よく事件に出くわした人が発する情報を元に事実を推測するのみである。そうした情報というあやふやな土台の上に成り立っているものが事実なのだ。

多くの事実があやふやな土台の上に在る以上、事実は儚《はかな》く、脆《もろ》い。それどころではなく、事実は情報によって容易に変化させられるのだ。自分が情報を発するとなれば、事実を変化させる事に留意して発しなければならない。ただ真実を伝えるだけという情報は、現実には存在しない。事実こそが究極の幻想。幻想郷にも存在しない幻想だ。

その事を理解しているとは思えない新聞が大量にばらまかれたのも、つい最近まで天狗の新聞大会が行われていたからである。新聞大会は今に始まった事ではないが、今年の大会は空前の盛り上がりを見せ、それと同時に天狗の新聞の存在も幻想郷のアカデミズムの間に浸透したのだった。

しかし何故、毎年行われていた筈の新聞大会が、今年になって急に盛り上がりを見せたのだろうか。それには二つの理由が考えられる。一つは昨今の異変続きで記事にするネタが豊富であった事、それともう一つ、こっちの方が直接的な理由だと思うが、紙の供給が急激に増えて価値が下がってきている事だ。紙の入手が容易になれば新聞が増える事も当然である。同じく、紙の入手が容易になる事は僕にとっても有難い事であった。

――カランカラッ

「もー、号外、号外って毎日の様に配ってたら何が号外なのよ」

「いや、それを店に持ってこられても困るんだけどね」

霊夢は束になった新聞紙（それも号外ばかり）を手に持っていた。新聞紙を拾い物という定義でうちに持ってきている様だが、うちは廃品回収屋ではない。そんな新聞紙が商品になる訳も無いのである。

「あら、何をしているのかしら？　本を読んでいる訳じゃないのね」

　僕は机に向かい筆を持ち手を動かしていた。そう、本を書き始めたのだ。今まで書きたくても紙が安定して入手出来なかったので、紙の入手が容易になった今、やる事は一つである。

「毎日の出来事を書きためていこうと思ってね」

「日記って事？　それが何の役に立つのかしら」

「新聞の真偽があまりにも疑わしいからさ。僕が事実に限りなく近い情報を書き留めていこうと思うんだ」

「事実じゃないのね」

「事実は書くと事実じゃなくなるんだよ。だから事実を書く事は出来ない。ちなみに、幻想郷に歴史らしい歴史が無いのは何故だか判るかい？」

「毎日が平和だからでしょ？　歴史に残る物って、一部の人だけに都合が良くて大多数には悪い事ばかりだもの。それに異変が起こってもすぐに解決するし」

「それだけじゃないんだ。歴史が無いのはもっと単純……！」

　窓ガラスが砕ける音で会話を中断された。

「号外だよー。これを読まないと明日は無いわー」

　割れた窓から遠ざかっていく天狗の声が聞こえる。

　慌《あわ》てて割れた窓に近づいて見たが、すでに配っている者の姿は遠くにあった。窓ガラスを割った事もお構いなしの様子である。

「まったく、号外でも何でもいいが、天狗ってものはもっと落ち着いて配れないものなのかな」

「号外を配って回るのもおかしな話だけどね」

　割れた窓に応急処置として霊夢が持ってきた古新聞を貼った。新聞紙ではちょいと貧乏くさく見えてしまうが、障子《しょうじ》の代わりである。もう外は冷たい風が吹く季節だ、こんな新聞紙でも貼らないよりはいい。

「新聞紙の障子なんかすぐに破れそうだけど……また同じ窓から号外を投げ込まれちゃうわよ？」

「いや、そんな事は無いさ。新聞紙だろうが、紙の方がガラスよりは強いんだよ。それも圧倒的に」

「そうかなぁ」

「霊夢は疑問に思った事が無いのかい？　何故あんなに柔《やわ》そうで薄い紙を戸や窓に使うのかを」
「明かりを取り入れる為じゃないの？」
「それだけだったら、今はガラスだって有るんだから取って代わっても不思議ではないじゃないか。それに最近は外の光を取り入れる必要も減ってきているだろう」

　僕は霊夢に障子が持つ結界としての神秘性を語った。障子に使われる紙は破こうと思えば子供の力でも破く事が出来る。汚れた手で触れれば、もう取り返しがつかない。ガラスと違い障子は洗う事も出来ない。

　そんな障子だからこそ、それを破る事や汚す事を咎《とが》める人物が必ず必要となる。障子の近くで暴れている子供を叱る。汚れた手で触れようとする子供を止める。こういう人物が居て、初めて障子は障子としての機能を持つ。

　殆《ほとん》どの場合、障子の貼られた家屋に住む者がその役回りとなる。障子の頑丈さはその人物や家屋が持つ力そのものであり、その強さは計り知れない。

　そんな障子のお陰で建物の近くで暴れる者も居なくなる。戸を乱暴に扱う者も居なくなる。これがもし頑丈を売りにした材質、たとえば鉄や石などに取って代わったら、人間の行動はがさつになり、建物の中ですら激しい行動を取るようになるだろう。それでは、近いうちに頑丈さも破られてしまうのだ。

　障子には人間の危険な行動を未然に防ぐ力が有るのである。ただ障子の頑丈さは一定ではなく、それは中に住む者の力に比例する。廃屋の障子は赤子の力でも容易に破る事が出来るが、神が住まう神社の障子は大人の力でも決して破れない。

「霖之助さん。その破れない筈の障子に目があるわよ？」

　窓を見ると、新聞紙の障子に開けられた穴から覗いている目が見えた。

「――それで、今日の号外の内容は何だったんだ？」

　魔理沙には新聞紙の窓に穴を開けた罰として、貼り直させた。

「ああ、どうでもいい内容だ。天狗の新聞大会の優勝者が決まったという事だったよ。優勝者はどっかの聞いた事もない大天狗の新聞『鞍馬諧報《くらまかいほう》』だってさ」

「本当にどうでもいい内容ねぇ……」

「本当にどうでもいい内容だな」

　その優勝者である大天狗の『鞍馬諧報』も読んだ事が有るが、さっき窓から投げ込まれたこの『文々。新聞《ぶんぶんまるしんぶん》』の号外がかわいく見える位の大げさな物である。内容は事実とは大幅に異なり、有る事無い事面白おかしく書かれた記事しか無い。さらに情報をありったけ詰め込んで、ボリュームが有る様に見えるだけの酷《ひど》い物であった。


　ありったけの出来事を詰め込んだ物は、物事を深く考えない者たちを何か知識を得た様な気分にさせてしまうのだろう。羅列された情報だけが知識なら、人の知識は出来事を羅列した本や新聞と同じじゃないか。本や新聞から知識が得られるという理由は、決してそこに知識が書かれているからではない。本や新聞に書かれている事柄はあくまでも真実を構築するあやふやな土台、つまり情報であり、それは知識足《た》り得ない。その情報を元に考えて初めて知識となるのだ。大天狗のそれに比べると、内容はともかく『文々。新聞』の方がいろいろと考察も出来、知識がぐっと深くなるのだ、とそう思う。まぁ内容はともかく。

「ところで、何で急に新聞が増えたんだ？　全然知らなかったけど、新聞大会は毎年やってたんだって？　だとしたら新聞大会だけが原因じゃないだろう？」

「それは、紙の入手が容易になった事が一番の原因だな。ここのところ幻想郷の紙の価値が急激に下がっている。外の世界から紙が大量に舞い込んで来たんだよ」

「ふーん。幽霊の次は紙ねぇ。舞い込み放題ね」

「コンピューターは、紙を使わないで情報を集める式神だ。それと紙の増加を併《あわ》せて考えると、紙で情報を伝える事は既に幻想の域《いき》に達していると言えるだろう。もう既に、外の世界では本を書いたりする事自体が幻想なのかも知れない。まぁその恩恵で僕も本を書こうかと思っていたんだけど」

「物忘れが酷くなったのか？」

「本を書いている人はみんな物忘れが酷いのかい？」

「どうせ、ヘビイチゴになるぜ」

「それを言うなら日蓮和尚《にちれんおしょう》でしょう？」

「君たちが言いたいのはきっと、三日坊主《みっかぼうず》だ」

幻想郷には歴史らしい歴史がない。それは毎日が平和だからでも、異変がすぐに解決するからでもない。もっと単純な理由である。

それは、妖怪の寿命が永《なが》過ぎるからだ。歴史となる事件でも、当事者が生きている以上都合のいいように情報が変化し続け、その曖昧《あいまい》な情報の上に立っている事実がいつまで経《た》っても定まらない。事実は情報の上に建つ砂上《さじょう》の楼閣《ろうかく》なのだ。真偽の不確かな事実が生まれては、風に吹かれて崩れ落ちる。いくつもの事実の楼閣が乱立し、すべてが雨で溶ける。歴史になるには客観性が一番大事なのだが、当事者が生存し続けるとなかなか主観から離れられないから、幻想郷には歴史が無いのだ。

僕は外の世界から舞い込んだ紙に、できる限り客観の目で見た幻想郷を書き留めようと思う。これが歴史に繋がるのだとすれば、本を書き始めた事が一番最初の歴史になる。一番最初の歴史とは、幻想郷の歴史が誕生したという歴史だ。僕は自分の本の冒頭に「幻想郷の歴史が誕生した」と書いた。

❈

「それにしても紙が増え過ぎよねぇ。天狗は何処《どこ》からこんなに紙を集めて来るのかしら？」

「紙が増えたのは、外の世界で紙を使う事が減ったからでしかない。さっきも言ったように、紙で情報を伝える事自体がもう幻想なのだろう」

「やっぱ何でもかんでも口伝なのか。外の世界は人が多いからな。人の数だけ口があるし」

「ただ、反対に幻想郷はこれから紙による情報伝達が盛んになるかも知れないよ」

「天狗の新聞みたいにか？　それは迷惑だな」

「迷惑ねぇ」

「まあ……迷惑だけどね」

もうすぐ僕の手によって幻想郷に歴史が生まれようとしている。僕の書き留めた本が幻想郷の歴史書となる時代が来るだろう。その時初めて幻想郷のアカデミズムが動き、幻想郷は外の世界に近づく事になる。ついでに言うと、僕が書いた本も飛ぶように売れて店も安泰という訳だ。店の売り物が拾い物だけじゃなくなれば、香霖堂は道具屋としての格も上がるかも知れない。

幻想郷に紙が大量に舞い込むと、幻想郷の紙の価値が下がる。それと同時に、新聞や本が書ける様になり、紙の需要も急激に増すだろう。

幻想郷の紙価が下がる事で洛陽《らくよう》の紙価が上がる。外の世界で紙が消えようとする時、幻想郷の紙が急増する。鴇《とき》の大群が幻想郷の空を翔る時、外の世界の空から鴇が失われる。何事にもバランスが有るのだ。小さな所しか見えない人間には世界の天秤は見えてこない。

「ほんとに、どの新聞もどうでもいい内容ばかりだな。三途《さんず》の河《かわ》の河幅《はば》が求められたってさ。それが判ると何か嬉しいのか?」

魔理沙は、霊夢が持って来た古新聞の束を崩し、どうでもいい内容の新聞を読んでいた。

「三途の河の河幅は渡りきるまでの時間と同様だから、君みたいな人間でも安心して死ねる様になるって事じゃないか」

「時間がかかると退屈だから、死ぬ前に何か持って行かないといけないって事か」

「魔理沙が渡る三途の河の河幅が広いって事は、自分でも判っているのね」

「狭いよりは広い方が良いな」

「良くないよ。河幅が広いというのは人との繋がり、それもお金を貸してくれる程の信用を持った友人が少ないという事だ。店の商品を勝手に持って行く様では河は渡りきれない程広くなるんじゃないかな?」

「だから広い方が良いじゃないか。広ければ店の商品を持って行けるんだろう?」

内容はどうでもいい新聞だが、それでも魔理沙たちはそこから知識を得ようと頭を働かせている。知識というものは、自分で考えて、自分の論を持って初めて身に付く。それは書いてある物ではなく、書いてある事から自分なりに考えて初めて知識となるのだ。多くの情報や出来事だけを集めた新聞や本を有り難がっているうちは、知識など集まりもしない。見ているだけ、読んでいるだけ、識《し》っているだけ、書いているだけ、喋っているだけでは知識は高まらない。

それを助長するような大天狗の新聞を優勝させるのは間違いだと僕は思う。購読数で新聞の優劣を付ける事は危険である。知識を勘違いした人間や妖怪が増えるだけなのが目に見えているじゃないか。今度天狗に会ったらそう申告しよう。

「でもまぁ、天狗の新聞大会は決着が付いたんだよね？　これで内容の無い号外の量も漸《ようや》く落ち着くわよね」

「そうだね。それに定期的に号外を配られたんじゃ、購読してるのと変わらないし。まあ僕は定期購読もしているんだけど、それでも号外が配られる。号外は自分に関係する大きな事件が有った時だけで良い」

「でも、新聞大会は毎年有るんだろう？　足も速ければ気も早い天狗の事だから、すぐに来年の大会に向けて準備を始めそうな気も……」

　魔理沙の台詞《せりふ》を遮《さえぎ》る様に、再び新聞紙の障子《しょうじ》を破って号外が投げ込まれた。二人が呆れた表情で窓から投げ込まれた号外を見ていた。

　僕は一年間も障子を貼り直し続けないといけないのかと思うと、軽い眩暈《めまい》を覚えた。

第十八話
月と河童

窓の雪は月の狂気をかき集め、闇の黒は筆を通して紙にしみ込んでいく。

　昼は本を読み、夜になるとその日の出来事を本に書いた。不思議な事に日記を書き始めてから、些細《ささい》な出来事でも気が付く様になったのである。日記を書くという行為の本当の意味は、日々の出来事を忘れない為でも過去を見つめ直す為でもなく、些細な変化でも見落とさない様に感度を高める為だという事に気が付いた。

　人は普段から物凄い量の情報を受けながら生きている。そして興味の有る物以外の情報はそのまま流され、興味の有る物だけが自分のアンテナに引っ掛かり自分に蓄積されていく。日記はその感度の偏《かたよ》り具合を極限まで増幅する、謂《い》わば真空管アンプの様な効果を発揮する。日記を書き始めた事で極限まで感度が高まった状態の僕は、どのような些細な事でも見逃さないだろう。

　――カランカランカラン

店の入り口で音がした。

「こんな夜遅くにやって来るなんて……一体誰だい？」

　僕は窓の雪に集められた月明かりを頼りに、入り口の方へ向かった。もう店を閉めてから随分と経っていた為、店の中は冷え切っていた。

「開いているかしら？」そこに居たのは吸血鬼に仕えるメイドだった。

　夜中に訪れたからといって別段急ぎの様子には見えない。どうやら、彼女は活動時間の大半が夜に偏っているのだろう。夜に出掛けるのが当たり前の様な顔をしていた。御主人様が吸血鬼なのだから仕方がない。

「何を言っているんだい。灯《あか》りを消したし、どう見たって閉まっている様にしておいたつもりだったけど」

「それは節約しているか留守にしているか、どちらかかと思いました」

　留守で灯りを消していた場合も、勝手に上がって物色するつもりだったのだろうか。そう考えるとおちおち家も空けられない。

「縁起《えんぎ》の良い物を探しに来たのですけど……何か置いてないかしら？」


僕は店の灯《あか》りを点《つ》けた。それと同時に周囲から月の狂気が消え去り、途端《とたん》に店内は夜の薄暗さを取り戻した。閉店後に訪れるなんて随分と自分勝手だと思ったが、お客であるのならば別にいつでも構わない。うちの店の客には、とんでもなく早朝に訪れる者だって居る。

「縁起の良い……って、漠然とした注文ですね。今なら入荷したての『鳥居が刻まれた隕鉄《いんてつ》』とか有りますが……」

「そんな信憑性《しんぴょうせい》に欠ける物じゃなくて、もっと見ただけで縁起の良いって判る物はないかしら？」


僕は、こんな夜中に、何の為に縁起物を使うのか想像出来なかったが、売れるものなら今の内に売っておきたかった。普段、縁起物など実用性の乏しい品物はなかなか興味を持って貰えないのである。僕は「それならとっておきの縁起物が有るよ」と告げて、倉庫の奥で眠っていた、もっとも大きくて縁起の良い品を持って来た。


「あら、なんてカラフルな亀の甲羅かしら。これは確かに縁起が良さそうじゃない」

「赤と青、白と黒、そして中央は黄色の五色の甲羅。これほど縁起の良い物はなかなか見当たらないと思うよ」

「でも……この甲羅、亀にしては不自然ね。大き過ぎるし、それに何だかのっぺりとしているというか」

「そう、これは亀の甲羅じゃない、『河童《かっぱ》の五色甲羅《ごしきこうら》』さ」


外の世界で作られたストーブが、冷め切った店を暖めるまでには少し時間がかかる。ようやく店内が暖まり始めた頃に、頭の回りも良くなってきた。

「河童、ねぇ。河童なんて何処《どこ》に棲《す》んでいるのかしら？」

「河童なんて山に幾らでも棲んでいるよ。君たちは余り山に足を踏み入れないだろうけど、山にはさまざまな妖怪が棲んでいるよ。ただこの甲羅は最近の代物《しろもの》ではない。千年以上……恐らくは千三百年位前の物かな。とにかくもの凄く古い物だ」

「そこそこ古いわね」

「後で文句を付けられても困るから予《あらかじ》め注意しておくけど、河童と伝えられているだけで、本当に河童の甲羅なのかは定かではない。それでも五色の甲羅は最大級の吉兆《きっちょう》の品さ」


河童と謂《い》われる事の信憑性を正直に述べた。すると、メイドの表情が少し訝《いぶか》しむ目付きに変わった様な気がしたので、慌てて話題を逸らした。

「ところで、何で縁起の良い物が欲しいのかい？　しかもこんな夜遅くに」

「それは……大きな魔法の成功には、大きな運が必要らしいのです」

彼女が語り出したのは、とても奇怪《きかい》な話だった。先日、彼女——十六夜《いざよい》咲夜が働く紅魔館で節分《せつぶん》が行われたという。吸血鬼が鬼を追い払うという変わった行事だが、紅魔館はその様な不思議な行事を頻繁《ひんぱん》に行っているらしく、あまり珍しくもない。

「——その節分大会が終わろうとした頃、月に異変が起きたのよ。貴方は知らないだろうけど」

後日、『文々。新聞《ぶんぶんまるしんぶん》』で知ったのだが、節分の日の夜に月が割れるという惨事が起きていたらしい。月は音もなく割れ、音もなく元通りになったとの事だったが、時間が時間という事もあって気が付いた者は少なかった。

「それで、その月の異変と縁起の良い物とどういう関係が……」

「砕け散った月を見て驚いたお嬢様が、また言い出したのです。『今度こそ月に行くわよ』って」

今度こそというのは、前にも突発的に月に行くと言い出して、月に行く魔法（『プロジェクトアポロ』という名前の魔法らしい）を行おうとした事が有ったからだ。その時は材料不足で失敗に終わったそうだが……。

『プロジェクトアポロ』は、外の世界の魔法の中でも非常に難解で複雑なものだという。魔法の手順が書かれた魔導書は何冊にも及び、手順、材料、道具共に最大級の魔法だそうだ。さらに材料や道具には理解不能の品が大量にあり、それ一つ一つを探し集めるだけでも一苦労なのだ。それ故《ゆえ》に、これを実行出来るだけの魔法使いは、幻想郷には存在しないと思われている。

「お嬢様のお友達の魔法使いは、『材料はかなり集まったけど、この最大級の魔法が成功するには最大級の運が必要』だと言うんです。それで『幻想郷で最も縁起の良い物を持ってきて』と命じられたもので……」

「なんとも災難でしたね」

　魔法の実行は六つの要素から成り立っている。それは、術者の『技量』、魂の性質である『気質』、道具や材料といった『物質』、行う場所である『空間』、実行した時の『時間』、そして最後に『運』である。このうち、最後の運が占めるウエイトは最も重く、運さえ有れば他の要素はある程度カバーできるし、逆にこれが無ければどんな簡単な魔法でも失敗するのだ。

「運以外の要素はほぼ揃《そろ》ったらしいので、後は運だけなのです。最も縁起《えんぎ》の良い物となると、茶柱でも四つ葉のクローバーでも竹の花でもなくて、もっともっと珍しい物じゃないと……」

　珍しい物と縁起の良い物は異なる気がするが、恐らく紅魔館ではその常識がまかり通っているのだろう。珍しければ良いのなら、この河童の五色甲羅ではなく、つちのこ酒あたりでも良かったのかも知れない。

　しかし、僕はこの河童の五色甲羅を売る絶好のチャンスが到来していると、直感で判っていた。このチャンスをみすみす逃してはいけない。

「この五色の甲羅は、ただ珍しいだけじゃない。まさに、今の君にぴったりの品ですよ」

　縁起が良いものには縁起が良いという謂《い》われが必要である。僕はその河童の五色甲羅が何故縁起が良いのか、そして何故《なぜ》彼女にぴったりな品なのかを語る事にした。

　立ち話を止め、僕はストーブの近くの椅子に腰掛けた。彼女にも椅子に座るよう勧めたが、「立っているのには慣れてますから」と言って姿勢の良い立ちポーズを崩そうとはしなかった。僕だけが座った状態で、彼女が手に持っている甲羅を指さして説明を始めた。

「赤、青、白、黒、黄の五色は、この自然のありとあらゆるものを表しているんだ。東西南北と中心という方角、春夏秋冬と節分の季節、そして火水木金土の物質、つまりこの世のすべてを表している色なんだ。魔法の実行に必要な『空間』『時間』『物質』を網羅《もうら》している事になる。さらに亀は大地を運ぶ動物として元々縁起が良く、自然をすべて乗せる五色の亀は最高級の縁起物とされたんだよ。よく言われる一万年もの長い間生きる亀とは、もちろん普通の亀ではなくこういう五色の亀の事を言っている」

「でも、この甲羅は亀じゃなくて河童なのでしょう？　河童でも一万年生きるのかしら」

「そこが、この品が今の君にピッタリの品という理由なのさ。河童は、よく中国の河伯《カハク》と呼ばれる河の妖怪が転じたものだといわれているが……それは違うんだ」

「今のお話自体、初めて聞いたのですけど」

「河伯は大河に住む水の神様だ。河伯と河童を一緒にする事は、少し河童を持ち上げ過ぎだと思わないといけないよ」

「確かに、河童なんて天狗よりもたちの悪い妖怪ですからね」

外の国に同じ様な呼び名の妖怪が居るというだけで、同じ生き物というのは無理がある。それに言葉だって、河に棲《す》み河の字が付くんだから同じ様な呼び名になって当然なのだ。

「僕は、河童がもっと身近な生き物が変化した物だと考えているよ」

ストーブに載せていたヤカンの水が音を立て始めた。冷え切っていた店内は再び活気を取り戻し、お茶を淹《い》れると漸《ようや》く調子が出てきた。

こういう時、メイドは習慣でお茶を淹れてくれたりしないのかと思ったが、彼女は他人の家ではそういう事をしないらしい。それは彼女が良く出来たメイドという証拠である。良かれと思って他人の家でもお茶を用意したり後片付けをしたりする者も居るが、それは無神経なだけだ。誰かの家にお邪魔した時はたとえメイドであれ、常に客人である。だから手伝いを買って出たりされても、家の主人は迷惑する。本人は善意であるからなおさらたちが悪い。

メイドはありとあらゆる所にまで神経を使い、常に失礼の無い様にする事に長けているものだ。店に来て勝手にお茶を淹れて飲んでいる誰かさんとは大違いである。僕は彼女の分のお茶も用意した。

「では、河童は何処《どこ》から来たというのです？」

「その答えは河童の姿を思い浮かべればすぐに想像付くよ」

「河童の姿ねぇ……。そういえば河童の甲羅ってつるつるとしているかしら？」

そう、河童の甲羅は亀とは異なる形状をしているのだ。

「河童の由来は、カハカメが転じたものだと考えている」

それにしてもこのメイドは、夜中に訪れて来た割には急いでいる様に見えない。もしかしたら月に行く事なんて最初から無理だと思っているのかも知れない。そう考えると、彼女はお嬢様の遊びに付き合っている様にも見えた。

「カハカメ、つまり河に棲《す》む亀。カハカメは漢字で書くと大亀という字になるんだよ。その字が表している様に物凄く巨大な亀なんだ。成長すれば人間くらいの大きさになる事も珍しくない。そのカハカメが何年もの長い間生き続け、人語を理解する様になったり人の形を取れる程の妖力を得たものが河童なんだ」

「カハカメ……って聞いた事が無いわ。それに河にそんな大きな亀が居るのかしら？　海亀じゃあるまいし……」

　まるで海亀が泳いでいるのを見た事が有るかの様な口ぶりが少々気になったが、僕は続けた。

「よく思い出してごらん？　居るじゃないか、海じゃなくて河や沼にも非常に大きくなるモノが。もう一度河童の姿を思い浮かべてみたり、その甲羅をよく見てごらん？　亀にしては丸くて滑《なめ》らかだと思わないかい？」

「なるほど、貴方の言いたい事はよく判りましたわ。だから、この品が今の私にぴったりだと言ったのね。でも、そうだとすると……お嬢様には『私が水棲生物に疎《うと》い』という事にして頂かないといけません」


　メイドは納得した様子で五色の甲羅を抱えて帰って行った。勿論《もちろん》、お金を払い、お茶の後片付けもせずにである。本当に良く出来たメイドだ。僕は二人分の後片付けをし、再び閉店にした。

　それにしても、彼女が最後に言った言葉……彼女はメイドとしての心得《こころえ》をわきまえた上に、頭の回転も速い事が良く判った。

　彼女は河童の正体に気付くと、すぐに御主人様に見せた時の説明を頭の中でシミュレートしたに違いない。何で縁起《えんぎ》が良いのかを説明するにあたって、その甲羅の謂《い》われを述べるだろう。でも、河童の正体は伝えないんじゃないかと予想する。

　河童の正体である大亀《カハカメ》、それは海ではなく河や沼に棲み、そしてとんでもなく大きくなる亀。すなわち、鼈《スッポン》である。その鼈が長い間生き続け、妖力を得た者が河童である。

　御主人様が月に行こうとする時に鼈を持って行く事は、それだけで何か裏の意図、しかも負の方向の意図があると思われかねない。だから彼女は自分が水棲生物に疎い事にし、その甲羅が鼈のものである事を御主人様には伝えないのだろう。

　月と鼈。確かに二つのものは似ているが大きくかけ離れている。だがしかし、我々が触れられるものも、良い縁起をもたらすものも鼈の方なのだ。月は不吉なものであり、決して触れる事も出来ない。だとすると、月と鼈のどちらが優れているかと

いえば……言うまでも無く鼈の方である。遠くの不吉を見る前に、身近な吉兆を見た方が良い。

　彼女はそこまで気付き、月に行く為に鼈を用意するという一見侮辱《ぶじょく》かと思われる行為をわざとしたに違いない。多分、お嬢様には気付かれないだろうが、紅魔館に居る識者《しきしゃ》の誰かが気付けば彼女は満足なのだろう。

　僕はというと、思わぬ臨時収入により少々高揚《こうよう》した気持ちでいた。あの五色の甲羅は大きいし誰も興味を持たないし、どちらかというと不良在庫だったのだ。それに河童の甲羅と言われてはいるが、それも疑わしいときたものだ。メイドが訪れた時、これが売れるチャンスはもう来ないかも知れないと思い、僕は極限まで高まった感度で甲羅と彼女を見た。

　月に行くという途方もない目的とメイドらしい気の使い方を見た時に、突然、河童と鼈、月と鼈の関係が閃《ひらめ》いたのだ。たとえ縁起が良いからといって、まったく無関係の品では意味が無い。だから僕は遠回しにそれを話した。もちろん、彼女ならきっとすぐに理解し、そしてこの商品を手に取るだろう、という計算の上で……。

　僕は筆を置き窓の外を見た。その時、一瞬だけ月が紅く光って見えた気がした。

第十九話 龍の写真機

春告鳥《はるつげどり》の鳴く声が店内に響き渡る。

長かった冬は終わり、幻想郷に色が戻ってきた。深い雪によって白く染まっていた幻想郷は、春の訪れと共に色鮮《あざ》やかな景観となり、同時に陽気な妖精や人間たちが騒ぎ始めた。まるで淀《よど》んでいた世界が突然、空気が清らかになり視界が明瞭《めいりょう》になった様に感じる。昔から清新明瞭のこの時期に清明の日と言う日があるのはその為《ため》だ。今年の清明の日はいつだっただろうか。

日記を書いていたのだが、唐突に今の季節の美しさを紙に写したいと思った。絵に描いても良いが、幻想郷にはそれよりももっと最適な物が有る。

それは写真である。

「――何やっているんだ？　こんなに良い天気なのに品物をひっくり返して」

店の入り口付近から声が聞こえた。改めて店内を見渡すと、泥棒に入られたかのように商品が散乱していた。使い方が判らなくて仕舞《しま》っていたある道具を探していたのだ。

「ああ魔理沙。いつから居たのかい。今は散らかっているが、その辺の物に触らないでいてくれよ。売り物だから」

「触るなって言っても、触らないと歩けやしないぜ」

「……ああ、やっと見つけたよ。これを探していたんだ」

「ん？　それは天狗が良く持っている奴だな」

探していた道具とは『写真機』である。写真機とは文字通り写真を撮る道具だ。

僕は、道具を見ただけでその名前と用途が判る能力を持っている。香霖堂を始めたのもその能力を生かす為である。生憎《あいにく》、正確な使用方法までは判らないのだが。

「日記に写真を貼り付けようと思ってね。ただ、写真機自体はずっと前に手に入れた物なんだけど、どうやったらこの道具で写真が撮れるのかさっぱり判らなくて放置していたんだ」

「天狗は簡単そうに撮っていたぜ？　なんかこう構えて……覗《のぞ》いてボタンを押す感じで。もっとも、その機械から写真が出てくるのを見た事が無いからどういう仕組みになっているのか判らないけど」

「それはきっとこのボタンの事だと思うけど、何度押したって、何の反応も無いんだよ」

そういって押してみるが、やっぱりウンともスンとも言わない。僕の能力が確かならば、この写真機で写真が撮れる事は間違いない筈なのだが。

「私はてっきり、写真を撮る事が天狗の特殊能力だとばかり思っていたぜ。まさか、道具が写真を撮っていたとはな」

天狗は不思議で秘密の多い種族である。人間や余所者《よそ》の妖怪が足を踏み入れる事の無い山の中に棲《す》んでいる為、天狗独自の社会と優れた技術を擁《よう》している。天狗が発行する新聞を読む限り、写真を現像する技術も謎だが、さらに驚かされるのは印刷の技術だ。まるで外の世界の物の様な新聞を大量に刷《す》る技術は、天狗以外の何者も手にしていないのだから。

ちなみに、山には河童も棲んでいるが、こちらも同様にかなり高度な技術を持っていると言われている。河童の技術とは、精密で優れた道具を創り出す技術である。もしかしたら天狗の使う写真機も河童が創り出した物なのかも知れない。河童が創る道具は不思議な物ばかりで、道具屋として実に興味深い。

河童の道具に関しては、また後日想いを馳《は》せるとして、今は写真機の事を考えよう。

「うーん、やっぱり駄目か。そもそもこの写真機の何処《どこ》から写真が出てくるのか、さっぱり判らないからな」

「ところで、どうして急に写真を撮ろうと思ったんだ？　天狗に倣《なら》って香霖も新聞を始めようと思ったのか？」

「新聞か……」

新聞を書く事にも興味が有る。他人が読むような記事を書けるのならば、世の中の道具に対しての間違った知識を正す事も出来るだろう。

もっとも、それには大きな問題が有る。写真機を調べて写真は撮れたとしても、印刷と活字の扱いについては見当も付かないのだ。

「いや、そんな簡単に新聞を始められる訳が無い。写真が撮りたい理由は、春になって外が美しくなってきたから、それを手元に残しておきたかった、という事だよ」

「そんなん、来年になればまた見られるじゃないか」

「誤解しないで欲しいんだけど、写真を撮りたいのは見られなくなるからでも、いつでも見たいからでもない。当たり前の景色を多面的に見たいからなんだ」

写真を撮れるようになれば、普段から写真を撮る事を前提に物を見るようになる。すると、いつも見ている景色が大きく違って見えるだろう。角度を変えて物を見る事は、充実した道具屋ライフには欠かせない。

「だったらお酒でも飲めば良い。同じ景色でも違った見方が出来るからな。それにしても写真がどういう仕組みで撮れるのか気になるぜ」

「そんな事、不思議でも何でもない。見た物を写真にする概念は簡単な事だ」

「そうか？　実際の景色を写真に写したら、景色が二つになる様なもんじゃないか。もの凄く巨大な写真を作れば、遠くの景色と区別が付かないだろ？　でも、遠くの山は一つしか存在しない筈だ。一体、何が減って写真の絵が増えているんだ？」

「景色が減る訳ではないが、減っている物は有るよ。例えば鏡を山の反対方向に置いたとして、その間に自分が立ち鏡を見ている所を想像してごらん？」

「自分が見えるな」

「いや、自分はどうでも良いから後ろの山が映るのを見て……。そこには写真の様に景色が映し出されるだろう。つまり、景色というのは生き物の目が無くても鏡に映っている訳だ。後は映っている瞬間を保存出来れば良い。写真機はその瞬間を保存する能力を持っているんだ。実際の景色は減るのでも二つになるのでもなく、映った鏡と瞬間が切り取られて減ると言う訳さ」

「ふーん、ちょっと理解しがたいが……まぁ実際に写真が有るからにはそうなんだろうな。だとすると、鏡は平面だから平面の写真以外は撮れないって事だな」

「いや僕は、ちょっと工夫すれば立体の写真も撮る事が出来ると思っている」


改めて店内を見渡したが、やはり散らかっている。だが、魔理沙に立体の写真の可能性を示す為に、ある道具を探す事になり、再度ひっくり返す事になった。

「有った有った。これだ、この道具だ」

探し出したのは、龍の刺繍《ししゅう》の入った小さな小箱だ。これを開けると、親指大で三角柱の小さなガラスが入っていた。僕はそのガラスを取り出して魔理沙に見せた。

「これを見てごらん」

「何だ？　このガラスは」

「このガラスの柱は三稜鏡《さんりょうきょう》、またはプリズムと呼ばれる道具。風に色を塗《ぬ》る道具だ」

「風に色を塗るだと？　これはまたおかしな事を言い始めたな」

僕は三稜鏡を窓の近く、陽の当たる所に持っていった。三稜鏡が陽の光を吸い、光の筋が七色に染まった。

「おお、小さな虹が見える」

「この小さな三稜鏡だけで、風を七色に塗る事が出来るんだ。何《な》故《ぜ》、三稜鏡から七色の虹が生まれるのかというと、それには完全な三と不完全な七の神掛かった関係が有って……」

「そんな話はどうでも良いよ。で、これでどうやって立体の写真を撮ると言うんだ？」

「……三つの三稜鏡で、三方向から同時に色を着ければ立体の絵が描けるだろう。後は、その時の風を保存する道具を作ればよい。風を凪《なぎ》にする道具だ」

「ちょっと待って、いつもの事だが話が飛躍し過ぎだ。何で三方向から色を着ければ立体の絵が描けるんだ？」

　魔理沙は僕から三稜鏡を取り上げると、色んな方向から眺め回してみた。

「赤と緑を混ぜると黄色になる、赤と青を混ぜれば紫だ。他にも組み合わせればどんな色にでもなる筈だ。だとしたら虹を上手く交差させれば自由に色を塗れるだろう。立体に色を塗る為には横幅と奥行きと高ささえあれば良いんだから、最低三方向から虹を当てればすべての点を空中で表現出来るじゃないか」

「何だかよく判らんが、風に絵を描く、そんな道具が有れば楽しそうだな。でも平面の写真すら撮れない奴には夢のまた夢だがな」

　まぁその通りである。たとえ理屈が判っても、技術が追っつかないのであれば実現しない。まだ空中に絵も描けなければ、風を凪にする道具も作れないのだから。

　でも、常に新しい事を考えていないと、幻想郷の最先端を行く技術はすべて、天狗か河童の物になってしまうだろう。だから僕は新しい事を考え続けるのだ。これは道具屋としてだけではなく、僕個人の信念だ。

　――カランカラッ
「あ、居た居た。そろそろ花見の時間よ？」

「お、霊夢か。良くここが判ったな」

「魔理沙の居る場所に選択肢なんて殆《ほとん》ど無いじゃないの」

「それにしても散らかっているわね。泥棒にでも入られたの……って既に入られているわね。泥棒に」

　ちなみに泥棒とは魔理沙の事だろう。もう本人も否定せず、猫の様に小さく笑った。三稜鏡を盗んでいくつもりなのか？

「あら、小さな虹が出ているわね。それは何？」

　霊夢は入るなり散らかった店内を物色し、魔理沙が弄《いじ》っていた三稜鏡に眼を留めたようだ。

「これは三稜鏡と言う、風に色を塗る道具だそうだ。食べられないぜ」

　霊夢は「硬そうだからね」と言い、魔理沙が傾《かたむ》けて虹を床に

落としたり、僕の顔に落としたりしているのを眺めていた。

「霖之助さん、これってどういう仕組みなのかしら？　見た感じ、中には何も入っていないみたいだけど……」

　霊夢も魔理沙も疑問に思った事を自分で考えもせず訊《き》いてくる。まず自分で熟考し、その自分の論を述べてから他人に訊く事が一番望ましいのだが……まだ子供だから良しとしよう。それに、疑問にすら思わないよりはずっとマシである。

「三稜鏡は、中に何かが入っている訳ではない。この三角形と言う所が重要なんだ」

　三という数字は、完全と調和を意味する。三脚は平らではない場所でも安定して立つが、これが脚が増えて四脚以上になっても、当然脚が減って二脚以下になってもぐらついてしまう。蛇と蛙と蛞蝓《なめくじ》の様に、三すくみならばお互い牽制《けんせい》し合い喧嘩が始まらないが、二人や四人以上だとすぐに喧嘩が始まってしまうだろう。

「三人寄れば文殊《もんじゅ》の知恵。鼓《つづみ》の三拍子《びょうし》。三種の神器。三日天下。三ほど安定した数字はない」

「最後のは安定してないと思うぜ」

　三稜鏡が意味する三が何かというと、この透明さを見ればすぐに予想できる。透明は見えざる者、つまり神の象徴なのだ。そもそも神社の御簾《みす》の向こうには何が存在しているかというと、実はただ透明な空間だけが存在しているだけだ。その透明な空間に神を感じ、祀《まつ》っている場所が神社である。そして神の御座《おわ》す場所と言えば、『アマ』の事だ。

「結論から言うと、三稜鏡の三つとは神の御座す場所の三つ、天と海と雨との事なんだ。この三つのアマと言えば、何の神を指しているのか霊夢なら判るよね」

「あー、えーっと。虹ね」

「……虹に辿《たど》り着くのはまだ早いよ。本当に話について来ているかい？」

「いつもの事だけど話が飛躍《ひやく》し過ぎるのよ。もっとゆっくり判りやすく説明できないの？」

　好奇心で質問してきたのは霊夢なんだから、自分で深く考えれば良いのだ。僕に霊夢のペースに合わせて教えてあげる義務は無い。霊夢が理解出来ようが出来まいが、僕は説明を続けた。

「ほら、前に大きな動物の骨を持ってきた事があったじゃないか、その時も同じ説明で『龍』の骨だと説明しただろう？」

　三稜鏡とは、透明と三角形だけで龍の住む所を表現しているのである。

「虹とは、龍の通った跡《あと》だという事は言うまでも無い。だから、三稜鏡に何か――この場合は光を通すと、虹が作り出される訳だ」

「ちょっ、ちょっと、待ってよ。そういえばずっと当たり前の事だと思っていたけど、何で龍が虹を残すの？」

　やれやれ、質問されっぱなしで自分の作業が進まない。今日は少しでも写真機の使い方を調べようと思っていたのだが……って霊夢は魔理沙を捜《さが》しに来ていたんじゃないのか？　随分と悠長である。

　二人を見ると、今は質問の答えを待っているだけで、自分達の本来の目的を忘れているようだ。

「そうか。龍が何故虹を残すか……か。それは少し難しい話になるね。予《あらかじ》め言っておくと、霊夢にはまだ理解出来ないかも知れないよ」

「そんなに馬鹿にする事は無いじゃないの。霖之助さんの説明がもっと丁寧なら、きっと理解出来るんだけどね」

「まぁ結論を先に言うと、龍は完全な三の世界から、森羅万象《しんらばんしょう》を創造する為に虹の七色を残すんだ」

「随分と大きく出たのね」

「そりゃ、龍は幻想郷の最高神で創造と破壊を行う神様だからね。その辺の妖怪とは一回りも二回りも規模が違うよ」

　完全に調和が取れた世界からは、新しい物が生み出される隙《すき》間《ま》はない。天からは雨が降り、海に注ぎ込まれて天の力によって、海から水が蒸発し雲を創る。完全なアマの世界とは、三つのアマだけで完結しているのである。

　龍は、その世界に不調和を持ち込み、その不調和から森羅万象を生む様に世界を変えた。その完全の『三』に足された虹の『七』色によって、世界は『十の力』で構成される様になったのだ。

「それにより、幻想郷のあらゆる物質が十の相互作用で創造と破壊が行われる様になったんだ」

「おお、それなら何となく判るぜ。私の専門だ」

「魔理沙の専門って……何だったっけ？」霊夢の質問は本気なのか冗談なのか判らない。

「ああ、こう見えても魔法使いだったんだぜ。驚きだろう？　それより霊夢の方が巫女っぽくないがな」

「うん。物質とその相互作用は魔法を扱う者にとっては欠かせない知識の一つだからね。君が実は勉強家だと言う事は判っているよ」

「勉強ではないぜ。本を読み、魔法を磨《みが》く、それが日課だから知識を増やす事は勉強に値《あたい》しない」

「へぇ、魔理沙ってこう見えても勤勉《きんべん》だったのねぇ。その成果が出ているのかしら？」

物質は木、火、土、金、水で成り立っている。この五つの要素が十の力で相互に作用する事で、安定する事無く絶えず変化し続けるのだ。十の力とは、木は火を生み、火は土を創り、土は金を育て、金は水を浄化し、水は木を育て、木は土を痩せさせ、土は水を吸い、水は火を消し、火は金を溶かし、金は木を折る、この十個である。

複雑に絡み合った力は二つの物質間で決着が付く訳では無い。

※

金の力が弱まれば木は強まる事になる。だが、木が強まれば火が強まり、土も強まり、金もまた強まる。そして、金が強まれば木が弱まってしまう。決して安定する事無く力が動き続ける事で、様々な物質が生まれたり消えたりするのだ。

「要約すると、私が霊夢に負けがちなのはこの力の所為《せい》だという訳だぜ」

「そんな要約し過ぎた負け惜しみはどうでも良いわ。でもどうして？」

「それは、魔理沙は水で、霊夢は木だからだよ。水は木を育てるから……これでは水の方が少々分が悪い。でも、決闘じゃなければ相性が悪い訳じゃなくて、むしろ相性は良い方だね」

「私が木で、魔理沙が水……じゃ、霖之助さんは何なのかしら？」

霊夢は見るからに春であり、最も東にある神社に住む。これは木の象徴だ。魔理沙はと言うと、黒い服を好み陽の射さない森に住む、これは水である。僕はというと……名前が示すとおり僕もまた、水なのだ。

「写真機の話から随分と外れてしまったね。君たちが質問ばかりするからだよ」

「うーん。龍神様の事はまだまだ判らない事でいっぱいね」

「龍はその姿を見せる事は殆《ほとん》ど無いからね。今日聞いた事は今すぐに理解出来なくても、後でじっくり思い出して考えると良いよ。そうすれば、世の中の仕組みが少しずつ見えてくる筈さ。ところで、花見は良いのかい？　店に来てから随分と時間が経ってしまっている様だけど」

「ああ、忘れてたわ！　今日は珍しい客も呼んであったのに」

「珍しい客？」

「今日は清明の日だから天狗たちも花見をするんだって。私たちも今日は……っていつもしてるけど花見をするんで、たまには一緒にやろうって事になったの。どう？　霖之助さんも来ない？」

「天狗から写真機の仕組みを教えてもらえるかも知れないぜ」

　そうだな、写真機の仕組みを知りたいのならば天狗に訊《き》けば良いんじゃないか。何でそんな単純な事に気付かなかったんだろう……って天狗!?

「天狗だって!?　とんでもない。とてもじゃないけどそんな花見に参加したくないよ」

「ま、そう言うと思ってたわよ。天狗が居ると記念撮影が出来て面白いんだけどね」

「この三稜鏡《さんりょうきょう》は貰っていくよ。天狗たちに立体写真はどうか、って提案してみるぜ。立体新聞とか出来るかもな」そう言い残して、二人は帰っていった。

　やはり三稜鏡を持ってかれたか。ずっと弄《いじ》っていたし、気に入ったのだろう。だが大して貴重な物ではないが、商品は商品なんだからお金を払ってほしいものだ。

　それにしても天狗と宴会とは……いささか心配である。天狗は無類の酒豪で、その飲む量と来たら人間の酒豪とは比べものにならないのだ。その量たるや鬼と比べてもひけを取らないと言われている。天狗一人ならまだしも、天狗たちの宴会と一緒にやるとは……。

僕が今日の花見に参加したくないと言った理由は、騒がしいのが嫌いだからではない。天狗に訊いた所で、からかわれるだけだからだ。「知りたければ酒を呑め。呑まねば教えぬ」とか言って、記憶が無くなるまで呑まされるのがオチである。天狗とはそういう生き物だ。取り敢えず散らかった店内を片付け、それからもう一度写真機を弄ってみよう。自分で調べるしかない。

明日の二人の報告が楽しみである。記憶が残っていれば、の話だが。

第二十話 奇跡の蝉

朝夕の風に涼しさが混じる。冥界から来たご先祖様のお盆《ぼん》観光ツアーも、一頻《ひとしき》り顕界《げんかい》を堪能すると満足げに戻っていった。これから昼の暑さも段々と落ち着いていく事だろう。

「何か最近、蝉《せみ》が五月蝿《うるさ》くないか？　こんなに奇妙な鳴き声の蝉も知らないし」

隣で本を読んでいた魔理沙は、一言そう言うと乱暴に本を閉じ、帽子の鍔《つば》で耳を押さえた。確かに、蝉が異常に五月蝿く、しかも余り聞いた事の無い鳴き声だった。だが、僕は苛《いら》つく事も無く、彼女に聞こえる様に少し大きめの声で言った。

「ああ、今年は奇跡の蝉の年なんだよ」

「へぇ、それはどういう意味だ？」

僕はこの蝉の鳴き声を知っている。このけたたましさを十一年前にも味わった事がある。

十一年前の夏、いつもの様に不良在庫の整理をしていると、森の方から低いうねり声の様な音が聞こえてきたのだ。

十一年前は、魔法の森の入り口に香霖堂を構えてからまだ数年目と間も無い頃で、その時の僕は魔法の森に関して詳しくなかったし、その奇妙な音が珍しい蝉の鳴き声だと言う事は判らなかったのである。

その十一年前の音の正体が判ったのは、僅《わず》か二日前だった。

――二日前。僕はけたたましい蝉の鳴き声で目が覚めた。蝉とは不思議な生き物で、ある日突然鳴き始め、そしてあっという間に居なくなる。それに地中に何年も潜伏して、思い出したかのように地上に出てくるのだ。そういう性質もあって、僕は蝉には寛大なつもりでいた。

だが、今年の蝉は異常だった。普段聴き慣れない低い鳴き声も普通の蝉とは異なるし、それに明らかに数が多いのだ。

余りの五月蝿さに、仕方が無く暑い中窓を閉め切っていた。このままでは窓を閉め切っているので暑いし、商品の保存状態にも悪影響だ。それに夜も満足に眠る事が出来ないし、客も寄りつかない。

僕は暫《しばら》く蝉の駆除の方法を考えていたが、締め切った店の暑さに耐えきれず、久々に店を出て里へ出掛ける事にした。勿論《もちろん》、その間も蝉の駆除の方法ばかり考えていた。

店から遠ざかると次第に鳴き声が小さくなっていく事が判った。どうやら魔法の森にしか棲《す》んでいない蝉の様である。僕は少し安心した。最悪、店が居られないくらい五月蠅《うるさ》くても、昔お世話になった人間の家にご厄介になるという事も出来るからだ。蝉の寿命は短く、数日で静かになるだろう。

そんな事を考えながら霧雨家を訪れた。霧雨の親父さんとは最後に会ってからもう十年以上も経《た》とうとしていたのと、お客以外の里の人間に会うのが苦手な事もあって、酷《ひど》く緊張していた。既に年老いているであろう親父さんは、僕を認識出来るだろうか……。里の人間は歳を重ねると成長し、老けていく。その当たり前の変化が少ない僕は、どうしたって里に長く居る事が出来ない。里の人間に不快感や恐怖を与えてしまうのだ。

だが、そんな緊張も軽い世間話ですぐに消え失せた。僕は霧雨の親父さんと霧雨家の商売の話や、今の香霖堂の商品、外の世界の道具についてなど、そんな話をして緊張も解け、いよいよ話題は本題である五月蠅い蝉の事に移ろうとしているその時だった。

「——霧雨家で森の方から聞こえていた音が、十一年前に聞いた低いうねり声の様な音と同じ音だと言う事に気付いたんだ」

「随分と気付くのに時間が掛かったんだな」

「里に着いた時から何となく記憶の奥底に引っ掛かる物があったんだが、何せ十一年前は蝉の鳴き声だとは思わなかったからね。言い訳をすると高い音は遠く離れれば離れる程かき消され、低い籠もった様な音だけが聞こえるもんだ。今年は店のすぐ近くまで蝉が押し寄せている様だが、十一年前は遠くで鳴いている音しか聞こえなかったんだ。今とは印象も大分違ったんだよ。だから店を離れて初めて気付いたのさ」

暑くなってきたので、窓を開けて換気をする事にした。少し開けた途端、蝉の鳴き声の洪水が店内に押し寄せてきたので、指一本分くらい開けた所で手を止めた。

「何にしても十一年前の不思議な音も、蝉の鳴き声だと言う事が判った。僕は親父さんにこの蝉について何か知っていないか質問してみたんだ。あ、そうそう親父さんは元気だったよ?」

「蝉が五月蠅過ぎて良く聞き取れないぜ」

「結局、親父さんも今聞こえている音が蝉の鳴き声だという事は知らなかった。勿論、この蝉の正体も判らないと言う。となるとますます僕は蝉の正体が気になってね。霧雨家を後にして里のとある人間の家を訪ねたんだ」

その人間とは、里の人間で最も多くの資料を持ち、知識も深い稗田《ひえだ》家である。千年以上続く由緒正しき人間の家系だ。稗田

家が持つ膨大な蔵書には、幻想郷のあらゆる事柄《ことがら》が収められている。その他にも外の世界の資料も少なくない。

　稗田家には『御阿礼《みあれ》の子』と呼ばれる子供が百年から百数十年単位で生まれる事がある。この御阿礼の子は、膨大な資料をすべて暗記出来る程の知能を持つと言われ、今現在、九代目が家に居るそうである。

　稗田家の資料は人間向けに書かれた一部を除いて門外不出であったが、最近はその規制も緩《ゆる》くなり正当な理由が有れば一般にも公開する様になった。有難《ありがた》い事に人間以外にも公開しているのである。

「ふーん。そんな人間が居るってのは霊夢に聞いた事が有ったが……そんな面白そうな資料を抱え込んでいたとは驚きだな」

　ちょっとだけ開いた窓は風を取り込む機能を果たしていなく、部屋は暑いままだった。帽子なんて被っていたらいっそう暑いに決まっている。魔理沙は、今度はそこに遊びに行こうか、と言って帽子を取って団扇《うちわ》の様に扇ぎ始めた。

　魔理沙の言う遊びとは言うまでもなく盗みの事だろう。牽制《けんせい》のつもりで「稗田家の主人と霧雨の親父さんは仲が良いよ」と言うと魔理沙は悔しそうな表情を浮かべて「さっさと蝉の話に戻せ」と言った。

「そう、確かに稗田家の資料は膨大だった。余りの資料の多さに何処《どこ》から探して良いのか判らなかったんだけど、九代目御阿礼の子は『すべての資料を暗記している。紙に書いてあるのは他の人に伝える為だ』って言ったんだよ。半信半疑で『この五月蠅い蝉の事の記述は無いか』と訊《たず》ねたら、すぐに教えてくれた。御阿礼の子の記憶力は半端なものでは無いね」

「ふーん。ま、この五月蝿《うるさ》い蝉の事が判ったんなら、駆除の方法も判ったんだろう？　さっさと何とかしてくれよ。魔法の森の何処《どこ》に行っても五月蝿くてかなわん。難聴になるぜ」

「だったら耳栓でもすればいい。この時は、既に僕の中で興味が変化していたんだ。駆除の方法よりも、この蝉は何故《なぜ》十一年ぶりに大量発生したのか、を知りたくなっていたんだよ」


蝉は狂った様に鳴き続けていた。次第に耳は慣れ、そこまで鬱陶しくなくなってきたが、いつもより大きめな声で話していた為かのどが渇く。僕は二人分お茶を淹れた。

そもそも、蝉の生態は謎に包まれている。蝉は七年程《ほど》土の中で成長し、ある日突然地上に現れると七日間だけ忙《せわ》しなく鳴いて、さらに別の生を受ける為に体を捨てる。蝉とは罪人が地獄で罪の清算が終わった後、その魂が転生されるまでの苟且《かりそめ》の姿であると言われている。

さらに、資料によると外の世界にはもっと特殊な蝉が居るらしい。それは、十三年蝉と十七年蝉と呼ばれる蝉である。名前の通り、十三年に一度だけ土の下から出てくる蝉と、同様に十七年に一度だけ出てくる蝉だそうだ。

幻想郷に現われた蝉は、十一年に一度だけ大量発生する不思議な蝉で、一部の人の間では『奇跡の蝉』とも呼ばれるそうである。何故奇跡の蝉と呼ばれるかというと、十一年という長い年月を土の中で暮らすという不思議さもその要因の一つだが、なんと言ってもこの蝉が発生する年は決まって豊作になるかららしい。資料はそこで終わっていた。

「ふーん。で、何で十一年なんだ？　外の世界の十三年も十七年も、そもそも何で普通の蝉だって七年も眠っているのかも不思議だが」

稗田家の資料には、魔理沙が抱く様な当然の疑問に対する答えは無く、ただ客観的な事実だけが書かれていた。それは資料としては正しいが、読む側としては何か物足りない。

当然僕も、魔理沙と同じ疑問を抱いた。しかし、僕と魔理沙が徹底的に違う所は、僕の場合は自分で考えるしかないが、魔理沙の場合は周りに答えを知っている人物が居るという事だ。答えを知っている人物とは、勿論《もちろん》僕の事である。

「少しは自分で考えようとはしないのかね、君は」

魔理沙にとっては、僕に説教される事なんて何とも思っていないようだった。帽子で扇《あお》ぎながら僕の話の続きを待っている。蝉の鳴き声は苛《いら》つきを助長させるのか、僕も少し苛つき易《やす》くなっているのかもしれない。

「まあいい、今回は少し複雑な話だしね。まず、十一年周期の蝉が幻想郷で最初に確認出来たのは、今から百年前程《ほど》前だと言われている。つまり、百年前頃に外の世界で絶滅して幻想郷にやって来た可能性が有るという事だ」

「元々は、外の世界に十一年周期の蝉が居たって言うのか？」

「そう考えれば、外の世界には七年だけじゃなく、十三年周期の蝉も十七年周期の蝉も居るって言うんだから、至極自然だね」

「うーん。余り自然とは思えないな。七年と十三年と十七年が居るんだったら、残りが有るとすれば十年と十五年だろう？十一年なんて中途半端だしな」

なるほど、魔理沙は数字同士の中間を埋める事で自然になると考えているようだ。七と十三の中間は十、十三と十七の中間は十五だ。恐らく、論理的なものは何もなく直感のみであろう。誰しも、間が等間隔になるというのは気持ちの良いものである。ここから判る魔理沙の性格は、部屋の中が本以外は滅茶苦茶に散らかっていようと、本は系統別に纏《まと》め、巻数も順番通りに並べるタイプであるという事だ。僕は、その通りだなと思い、少しおかしかった。

しかし、勘の鋭い霊夢だったら、この場は何と答えていただろうか。

「いや、十一年で良いんだ。むしろ外の世界の蝉に、十一年だけが欠けている事に気付かないといけない」

◆

「七年、十一年、十三年、十七年……何だか気持ち悪い数字の並びだな」

「判るかい？　これらの数字は、一と自分以外で割り切る事が出来ない数字、素数だという事に」

七にしろ、十三にしろ、十七にしろ、素数である。七以上で同様に素数は、十一、十三、十七、十九、二十三……と続いていく。

僕は、外の世界の蝉に七、十三、十七とあって、何故か十一だけが欠けている事に気付いたのだ。そして、幻想郷には十一年周期で発生する蝉が居る……。

「だから、僕は十一年の蝉は元々外の世界の蝉で、何らかの理由で地上では絶滅したと予想した」

「うーん。ま、また説教されるかも知れないけど、一応訊《き》いておくぜ。何で蝉は素数の年数だけ土の中で眠るんだ？」

「それは当然の疑問だね。だが残念だが、この疑問に関しての明確な答えは無い」

「えー……って疑問のままで香霖が納得する訳が無いだろう？」

「その通りだ。よく判っているな」

「ほれ、解説を続けてもいいぜ」

何か上手く利用されている気がするが、まあいい。

「……素数、つまり割り切れない周期でしか発生しないという事

は、それぞれの蝉が同時に大量発生する機会が非常に少ないという事だ。十三年の蝉と、十七年の蝉が同時に大量発生する周期は……二百二十一年に一度だけしかない。そうする事で、同時に大量発生してお互いが不利益になる年を極力減らしているのだろう。魔理沙が言っていた様な十年や十五年では、三十年に一度は当たってしまう」

「なるほど、何となく判ったぜ。蝉って頭がいいな」

「蝉の頭が良い訳ではない。先も言ったように、蝉は地獄から送られてくる魂の容《い》れ物だと言われている。つまり、地獄の閻魔《えんま》様が作ったシステムだろう。頭が良いのは当然だ」

「でも、何で十一年の蝉だけ絶滅して幻想郷に発生したんだ？」

「推測でしかないが、十一年の蝉と十三年の蝉、十七年の蝉が同時に大量発生し、一番若い十一年の蝉が犠牲になったのでは、と僕は想像する。それらの三種の蝉がすべて同時に大量発生するのは、なんと二千四百三十一年に一度しか無い。百年ほど前についにその運命の年が来て、十一年の蝉が幻想に追いやられたんじゃないかな」

「うーむ。そうかもな。そういう話を聞くと、この五月蝿《うるさ》い蝉も珍しくて貴重な気がするぜ。何せ十一年に一度の奇跡の蝉だしな」

「そうだ、だから駆除するなんて事はしたくない」

　僕は思い切って窓を開けた。十一年の蝉が、長かった罪の清算から解放された喜びを表すかの様に、けたたましく鳴いていた。

　相変わらず、魔理沙は耳を押さえ、苦い顔をしている。にも拘《かかわ》らず、自分の家に帰ろうとしないのは、店より自分の家の方が五月蠅いからだろう。

客でもないのに店に居座られては迷惑なので、僕は魔理沙を追い出した。渋々《しぶしぶ》出ていったが、きっと自分の家には帰らず、神社かどっかにお世話になるつもりだろう。人間の里には自分の親が住んでいるのだから、そこへ帰れば良いのに……。

この蝉は後《あと》何日程《ほど》鳴き続けるのだろうか。そんな事を考えていたら、蝉と地獄の閻魔様に纏《まつ》わる奇妙な符合に気付いてしまった。

閻魔様は初七日から満中陰、七日起きに審理を行う事で有名である。この七は素数であり、通常の蝉の地中に潜む年数や地上で鳴いている日数と一致する。さらに審判が終わった後に転生の為に地中に潜伏すると考えると、不思議な事に十一年、十三年、十七年の蝉が同時に大量発生する周期の年数と、通常の七年の蝉が潜伏する日数はほぼ同じになるのである。

蝉は不思議な生き物だ。地獄の閻魔様が作ったシステムの上で生きているという事は、もっと緻密で不思議な性質を持っていて、その性質一つ一つに呪術的な意味がある可能性が有る。

何故、地獄に堕ちた魂と同じ様に長い間地中で過ごすのか。何故、地上に出てから短い期間で居なくなるのか。人間は、輪廻転生のうち現世に居る期間が一番短いという事なのか。

だとすると、妖怪は死ぬとどうなるのだろうか。妖怪と人間のハーフである僕はどうなるのだろうか。店の窓を再び閉め、一人考え込んだ。

第二一話 神の美禄

妖怪の山が紅《あか》く黄色く燃える。気温は急激に下がり、紅葉によって生命に狂いを生じた木の葉は、秋の冷たい風に耐えきれず落ちていった。妖怪の山の方向に日が沈み、赤く染まった空を天狗たちが舞っている。妖怪の山は、この時が一番美しい。

十月は神無月《かんなづき》と呼ばれ一般には神の居ない月と言われているが、神々しい美しさを持った十月がそのような呼ばれ方をするのはあり得ない話である。本当は醸成月《かみなしづき》、つまりこの時期収穫した穀物でお酒を醸《かも》す月、が正しい。

「何か、機嫌が良さそうね」

「今年の新酒を造る準備をしてるんだ。機嫌が悪い訳が無い」

霊夢は訝《いぶか》しむ様子で、お酒なんて造っていたの？　と訊《き》いてきたが僕は、ここは香霖堂だからね、とだけ返答した。

今日は魔理沙と霊夢と僕の三人で、秋の味覚の茸《きのこ》でお酒を一杯呑む事になっている。霊夢と僕はその時間を待っていた。肝心な茸は、まだ店には居ない。

「へぇ、霖之助さんもお酒を造っていたなんて知らなかったわ。今度呑ませてよ」

寒くなってくるとお酒が美味しく感じられる。そのお酒も新酒で、さらに自家製だといっそう美味しく感じられるだろう。十月は新米の季節だ。だから、この新米で新酒を造る事に決めたのだ。

「まぁ、呑んでもらうのはいいけど……」

「けど？」

「大量に呑まなければね」

霊夢や魔理沙達は勿体ないくらい味わわずに呑む。折角《せっかく》造った貴重なお酒も、それでは意味が無い。

「そんな大量に呑まないわよ。美味しくなければ」

「いや、美味しいさ」

「じゃあ呑むかもね」

実は僕がお酒を造る理由は、飲みたい為だけではない。お酒は原料の米から始まって、どこからがお酒なのか。物の名前が判る僕の能力を持ってすれば、その疑問も氷解する筈。ふとそう思ったのだ。

日本人がお酒を飲む様になった歴史は古く、千何百年も昔の大陸の歴史書にも「人性嗜酒《倭人は酒を嗜む》」と記録されているという。その時には既に日本独自の醸造《じょうぞう》の技術を持ち合わせていたのだ。

そんな日本人が生み出した米のお酒は、鼻に抜ける芳醇《ほうじゅん》な香りと淀《よど》みのない味を持ち、味も洗練されている。お酒にも様々な種類が有るがその中でもかなり上品なお酒である。白米同様、癖の無い味はあらゆる料理に合い、食卓には欠かせない。

「この店で醸造ねぇ。こんなに様々な神様が住んでいる様な場所でねぇ。美味しく出来るのかしら？」

話しぶりからして、霊夢はお酒に関して造詣《ぞうけい》が深い様だ。

それも不思議な話ではない、お酒と神社には密接な関係が有る。本来、巫女とはお酒を呑む事が仕事でもあった。お酒を呑む事で精神状態に異常を来《きた》し、それによって神の世界と交信出来たのだ。証拠に、お酒の神様は『くしの神』と呼ばれる神様で、『くし』とは『奇《く》し』の事、つまりお酒を呑んで狂う事を指している。

神社の儀式にお酒は欠かせない。一般の人よりもお酒を必要とする職業の為、昔はお酒の殆《ほとん》どが神社で醸造していた。今の博麗神社でもお酒を造っているという話は余り聞かないが、霊夢の話しぶりからすると造っていてもおかしくはない。何故《なぜ》なら、神社にはいつも謎の神酒《みき》が補充されているのである。

「で、いつからお酒を造っていたの？」

「今年が初めてだ」

霊夢は怪訝《けげん》な顔をした。

「げげ、そんな簡単には神様は醸《かも》してくれないわよ。最初は凄い液体が出来そうね。大量に呑まなくて済むかも」

そんな顔をされる事は予想していた。

「良いんだよ。何年も続けていくうちに良い物になっていくだろう。失敗すると判っていても、最初が無ければ成長はあり得ないんだから」

――カランカラン

「香り松茸、カキシメジ♪　すっかり秋になったんで茸《きのこ》を採ってきたぜ」

「カキシメジは毒茸だ」

「まぁ細かい事は気にすんな。茸を焼いて酒でも呑もうぜ。既に霊夢も来ているし」

今晩のメイン食材が店に到着した。帽子に摘《つ》んだばかりの茸を入れて、上機嫌の魔理沙はもう呑む気でいっぱいである。

「ああ、判ったよ。あと少ししたら準備が終わるから茸でも洗って待っていてくれ」

「準備って何の準備だ?」

　質問するだけして質問して、答えはどうでも良いのか茸の選別に入っている。

「霖之助さんがお酒を造り始めるんだってさ」

　魔理沙は、へぇそうかい、と驚いた様子も見せずに「今から醸造したって今晩の酒には間に合わないぜ」と誰もが判っている事を教えてくれた。

「当たり前だ。店にはまだ、お酒になるであろう物しかない。呑みたければお酒も自分で調達して来なさい。神社にはお酒が沢山有るのだろう?」

「お酒なら大丈夫だ。こんな事もあろうかと持ってきてあるぜ」

　自分の事だけは抜かりは無い。茸の山の下から一升瓶を取り出した。霊夢は驚いた様子で、「あ、そのお酒は……」と言った。

「ああ、神社に飾ってあったので持ってきた」

「そのお酒は本当はまだ早いんだけど……」

　霊夢は呆《あき》れた様子で言ったが、瞬時にどうでも良いかと言う表情に変わった。

「そうか、香霖もお酒を造るのか。そう言えば昔、私も自分でお酒造ろうとした事が有ったんだがな」

「へぇ、それは初耳だわ。やっぱり失敗したんでしょ?」

「へぇ、初耳だな。やっぱり失敗したのかい?」

「大失敗だった」魔理沙は、てへっと自分の頭を叩いて見せた。失敗談を語るにしては機嫌が良さそうに見える。彼女にとっても、もうどうでも良い過去の話だからだろう。

「お米でも果物でもお酒が出来るんなら、茸でも出来るのかと思って茸焼酎に挑戦してみたんだ。そしたら大変な事になった」

その理屈は判らんが、魔理沙はそういう水平移動の思考を得意とする。魔法だって、同じ理屈で魔法の常識を打ち破ろうとする。それまでは五つの元素しか無かった魔法に、どれにも属さない様な力を入れたりするのも彼女ならではだ。時には妖怪も驚く様な魔法を生み出す事も有る。

だが、茸焼酎はどうなのか。

「前衛的《ぜんえい》な焼酎ね」

「大変な事って何だい？」

「別の得体《えたい》の知れない茸《きのこ》が生えてきたんだよ」

魔理沙のしょうもない失敗談に霊夢は笑っていた。

「お酒はね。何からでも何処《どこ》でも出来るって訳じゃないのよ。お酒とは、神様に捧げた物を神様が自分の好きな様に変化させる事で出来るの。第一条件として醸造場所は神様の宿る場所でないと、まず上手くいかないわ。それから、もっと専門的な話になるけど……」

霊夢の話は、神学の話から徐々に生物学的な話へと移っていった。神様が好んで醸《かも》す物は糖分である。果物など最初から糖分が豊かな物なら、簡単にお酒が出来るらしい。運が良ければ、潰すだけ潰して放っておいてもお酒になると言う。実際、木から落ちた葡萄や梨などが、元の果物とは違うお酒の様な匂いを発している場合がある。木に成っている状態よりも、熟《う》れて落下した後の方に動物や蜂などが群がっているのを見た事が有るだろう。それは、お酒に近い発酵が進み、生き物を惹《ひ》き付ける匂いを発しているからである。

しかし、日本酒の米の様に、糖分の少ない穀物からお酒を造るには、まずは米に含まれるでん粉《ぷん》を糖分に変える発酵が必要である。これはお酒を造る発酵とは別の物だが、必ず通らなければならない段階である。米のでん粉が分解され、糖分が多く含まれている状態になった物を、麹《こうじ》と呼ぶ。麹が出来てしまえば、後は果実酒と同じで神様にお任せで良い。

この様に、日本酒の醸造は果実酒とは異なり、自然に放って置いただけでは中々出来ない。手間の多さは加工品の品と格を高めるのだ。他にも、日本酒と同等なお酒には麦から作る麦酒などが有る。これもまた、格別である。

僕はお酒を造り始めるに当たって、お酒の作り方を自分で調べたので大体の事は霊夢に訊《き》く前に知っていたが、彼女の説明の詳しさからするとやはり今でも神社でお酒を造っている様である。

「要約すると、お酒になるには糖分が必要なのよ。得体の知れない茸じゃ大した糖分は無さそうだし、ちょっとお酒にするには難しいかも知れないわね」

「随分と詳しいな。そんな事ばかり勉強してないで、巫女としての勉強でもすればいいのに」魔理沙はそう言ったが、霊夢はお酒を造っているであろう、と確信した僕がフォローした。

「いや、お酒の作り方を熟知する事は、巫女として当然であり必要な事だよ。何故なら、巫女は神と交信する為にお酒を使うんだ。昔は神社でお酒を造っていて、巫女の仕事の一つだったからね。今はどうなのか知らないけど……」

僕はそれとなく霊夢に振ってみた。神社で今もお酒を造っているのなら、何らかの反応が見られると思ったからである。だがその目論見《もくろみ》も外れ、霊夢は話を続けた。

「ま、魔法の森にある魔理沙の家じゃ、別の発酵《はっこう》が進んじゃって美味しいお酒にならなそう。香霖堂もどうなんだか……」

霊夢はきょろきょろ周りを見渡した。確かに散らかっているが、そんなに不衛生ではないと思っているのだが。

「この家にはお酒を醸す神様は宿っていないと言うのかい?」

霊夢は店内の至る所を見ている。外の世界の式神、天狗の写真機、幽霊のランプ……。一通り見た霊夢はこう言った。

「お酒以外の物に醸してしまう神様が多過ぎるのよ」

——茸の焼けた、香ばしい匂いがしてきた。

霊夢のお酒に関する講義から時間が経ち、既に外は暗く、赤く染まっていた山は既に黒い影しか見えない。くしの神も、酒好きの妖怪も、自分の好きなお酒を取り出して朝まで呑み明かす時間である。

軽く塩をふった茸は、火が通ると秋の胞子《ほうし》を店内に充満させた。その香りだけでお酒が進む。霊夢と魔理沙の二人は、茸を取り合いながらはしゃいでいた。僕は、焼いた茸と一緒に呑むお酒が、自分で造ったお酒になる日を想像して、茸をほおばった。

発酵が徐々に進むお酒は、どの段階でお酒なのか。実は僕には想像出来ていた。

「あ、霊夢。そのカキシメジは軽く毒が有るから食べない方が良いよ。後で寝込む」

「大丈夫だ。毒抜きしてあるぜ」

霊夢は、暫《しばら》くうーんと唸っていたが、魔理沙が「寝込んでも大丈夫だ。神社の事は任《まか》しておけ」と言ったのを聞いて、箸で摘《つま》んでそっと窓から捨てた。

実は魔法の森に生えている茸の事は、魔理沙程《ほど》詳しい人間は居ない。カキシメジに見えた茸も、恐らく別の安全な茸である可能性が高い。森は陽の当たる部分が少なく、湿度も高い為か、生えている茸も他に生えていない様な物だらけなのである。

僕は常念坊《じょうねんぼう》に似た茸を取り、少し囓《かじ》るとお酒を口に含んだ。すると茸の芳香がお酒の力により、喉と鼻を駆けめぐり、えも言われぬ心地良さに包まれた。

お酒は、どの段階でお酒なのか。

それは、美味しい食材と共に口に付ける瞬間で、漸《ようや》くお酒になるのだと思う。それまでは、お酒なのかも知れない液体に過ぎない。神が造るお酒は、人間の手の及ばない所で造られていく。

✻

それがお酒なのか、はたまた酢なのか、それとももっと別の液体になってしまうのか、文字通り神のみぞ知るのだ。

そんな神の美禄であるお酒は、当然呑む人を選ぶ。お酒の神である奇しの神に敬意を払うとしたら、お酒は酔わなければいけない。大いに呑んで大いに酔う事が大切なのだ。

お酒にしても煙草にしてもお茶にしても珈琲《コーヒー》にしても、嗜好《しこう》品という物は、人間や妖怪の心の尺度を測《はか》る良い指針となる。それら嗜好品が嗜《たしな》める者かどうかで、懐の深さや感性を見極める。鬼や天狗、河童など、強い妖怪程《ほど》お酒にも強い。吸血鬼が毎日紅茶を飲むのも、血の色に似ているから、ではない。すべて、嗜好品を嗜める様な者だから強い妖怪に成った、ただそれだけなのだ。

「どうした？　箸《はし》が進んでいないな。その妖念坊の毒にやられたか？」魔理沙はそう言った。

「なんだ？　その妖念坊ってのは」

「今、香霖が食べている茸だよ。常念坊に似ているだろう？　でも明らかに大きさが違うので、妖怪の常念坊という事で妖念坊って名付けた」

嫌な予感がする。

「魔法の森にしか生えていないが、香りが良くてね。大きくて味も良いぜ。勿論——」

勿論、食べても大丈夫なんだろう。食べていけない茸を網の上に置く筈が無い。この時は神ではなく、魔理沙に祈った。

「勿論、幻覚作用はあるが。軽いから大丈夫だ」

僕はそこで二人を追い出し、夕食会を中止した。二人ももう充分食べたという事もあって、大人しく帰って行った。

いくら本人は味見して大丈夫だったとしても、人に毒茸を食べさせるのは問題である。魔理沙は魔法の森で暮らしていて慣れているかも知れないが、普通の人間には森の瘴気は長時間耐えられない。そんな森に生えている茸である。もう少し安全な物だけを選んで欲しいが……。

ところで、一つだけ疑問が残ってしまった。霊夢は神社でお酒を造っているのだろうか、という事である。僕が意気揚々とお酒を造ろうとしていた為か、魔理沙の茸におっかなびっくりだった為か、直截訊《き》く事が憚《はばか》られ、答えは判らないままになってしまった。

第二二話　妖怪の見た宇宙

「あ、二つ連続で落ちたぜ！」

「うん。後もう一つで十ね」

　灯《ひ》を消した店内に二人の興奮した声が響き渡った。そろそろ丑三《うしみ》つ時——もう泣く子は黙る時間であるが、霊夢と魔理沙の二人は黙らなかった。

　店内は二人に占拠され、すべての灯を消されていた。僕は本を読む事も日記を書く事も出来ずに、窓から差し込む僅《わず》かな月明かりを頼りに二人の元へ移動した。

「本当に二人は仕様がないな、もう十分だろう。こういった『流星群』も珍しい物じゃないし……」

「何を言うんだよ。香霖が言ったんだろう？　今夜の流星は凄いって、きっと百以上は落ちるって」

「確かに百くらいは落ちると思うが……まさか全部見るつもりか？」

「ああ勿論《もちろん》だ。願い事を百以上用意してきたからな」

　——昼間の香霖堂店内。


　霊夢と魔理沙の二人の流星鑑賞に付き合うきっかけになった日の事である。

　僕は新しく入荷した不思議な品物を、机の上に置いて眺めていた。新しく入荷したと言ってもその品物自体は古く、全体的に薄汚れていた。金属で出来ている部分にはあちこち錆《さ》びている所も有る。

　その品物は、大きめな西瓜《すいか》程度の球と、それを支える四本の足で構成されていた。球は金属で出来ているのだが、かなり異様な形をしている。定規の様な細い金属を曲げて繋げた輪が幾つか組み合わさり、まるで竹で出来た毬《まり》を彷彿《ほうふつ》させるような、すかすかの球体だった。さらにそれらの金属の輪は、一つ一つ自由に回転出来る物と、足に固定されて動かない物がある。

　残念ながら幾つかの金属の輪は錆びついている所もあり、滑《なめ》らかに回転出来なかった。このままでは商品にはならないので、何とか自分の手で再生しようと考えていた。

「何だ？　このスカスカの変な地球儀は」

「これは地球儀ではないよ、魔理沙。で、いつの間に店に来てたんだい？」

「地球に穴が空《あ》いたのかと思ったぜ」

魔理沙は、地球儀じゃなけりゃ一体何だい？　と訊《き》いてきた。

地球儀とは、文字通り地球の模型である。幻想郷に居る人間は自分の住む星の事を殆《ほとん》ど知らない。何故なら幻想郷は、地球の中の極《ご》く一部である日本の、さらに極一部の山奥に存在し、そこから出る事は出来ないのである。

だが、外の情報や道具が入ってこない訳ではない。地球儀も外の世界から流れ込んできた道具の一つで、これにより我々は自分の住む地球を知る事が出来る。知識としてかなり細かい所まで知っているが、幻想郷の人間にとって自分の住んでいる大地と、知識の地球がいまいち結び付いていない。たとえ地球に穴が空いたと言っても、容易に信じてしまうだろう。

だが、地球儀に見えるこの道具は決して地球儀ではない。地球と同じく、幻想郷にも常に近くに在るのに、詳しく判っていない物を測る道具である。

「これは、『渾天儀《こんてんぎ》』という道具だ。地球儀が地球を知る道具なら、渾天儀は宇宙を知る道具だよ」

渾天儀とは、非常に複雑な道具でありながら、ただ星の位置を測定するだけの物である。

しかしその複雑さには訳がある。星はただ浮かんでいるだけに見えるが、その位置を正確に測定するのは難しい。定規を当てる事も出来ないし、遠くに見える地面だって山が在ったり森が在ったりと高さがまちまちである。夜空に方眼紙の様に線が引かれていたり、動かなくて基準となる星が沢山在れば簡単なのだが、当然そんな訳も無い。手の届かない位置に在り、近くに基準となる物も存在しない星々の位置の観測は、昔から多くの天文学者を悩ましてきたのだ。それを解決させる為に、渾天儀は複雑な道具に成らざるを得なかったのだ。

「どうやって使うんだよ。これは」

「うーん……それは、これから調べるよ」

「あ、香霖も判らないのか。そりゃそうだろうな、いつもの事だし」

微妙に馬鹿にされた気分だが、事実だから仕方がない。

「いや、使い方は想像付くんだ。真ん中の筒《つつ》で星を見つつ、この回転する球を星に合わせてここに書いてある目盛《めも》りか何かを読み取るんだろう……おや？」

僕は、この道具に奇妙な文字が書かれている事に気付いた。目盛りか何かだと思ったのだが、単純な数値とかではない。この奇妙な文字は、この渾天儀の用途を大きく変化させる可能性がある物だ。

「どうした？　その輪っかに何か書いてあるのか？」

「ふむ、書いてあるな。僕はこの道具はてっきり外の世界の物だと思い込んでいたが……ここに書かれている文字はそれを覆《くつがえ》す物かも知れない」

「どれどれ、見せてみ？　ふむふむ、読めないぜ」

「早いね」

渾天儀に書かれた奇妙な文字とは、星座の名前だったのだ。

「ここに書かれているのは……雪入道《ゆきにゅうどう》座、火炎婆《かえんば》座、芭蕉精《ばしょうせい》座……。どうやら星座の名前だと思う」

「なんだいその星座は、えらくマニアックな星座ばかりだな」

「そんな単純な問題ではない。そんな星座は聞いた事も無いよ。まぁ、確かに極端にマニアックな名前の星座を書き連《つら》ねただけに過ぎないのかも知れない。それもおかしな話だし、たとえそうだとしてもこれらの星座の名前……」

手《て》の目《め》座、釣瓶《つるべ》落《お》とし座、大天狗座……。

「どれもこれもすべて、日本の妖怪の名前じゃないか」

我々——幻想郷の人間に限らず恐らく外の人間も同じだと思うが、知っている星座とは殆《ほとん》ど大陸から来た星座である。これは幻想郷が外の世界と隔絶《かくぜつ》する前から使っていた歴史の有る代物だ。

それ故《ゆえ》に、日本古来の星座という物も有る事は有るのだが、今でも残っている物は少ない。日本はどちらかというと、星の結びつきより星単体に名前を付け、それを崇《あが》めたからである……と、ずっと思っていたのだが、この渾天儀を見てからその考えも改めないといけないかも知れない。何故《なぜ》なら、日本の妖怪の名前の付いた星座が大陸からやってくる事は考え難《にく》い。日本で名付けられた星座がこんなに大量に存在するとすれば、日本独自の天文技術もかなり進化していてもおかしくない……のだが。

「しかし……妖怪の名前しか無いな。日本独自の天文技術だとしたら、もっと神様の名前や、英雄の名前を付けても良い筈なのに。だとすると、日本独自というよりは……。この天球儀はひょっとして外の世界の道具ではなくて――」

　妖怪の渾天儀かも知れない。何千年も生き続けて来た妖怪たちだ、自分たち独自の天文知識を持っていてもおかしくない。妖怪たちは人間が作った技術を馬鹿にする事が多い。天文学も人間の天文学を使わずに自分たちで構築したのだろうか。もしくは、人間が使っている天文学は実は妖怪が考えた学問、という事すら考えられる。

　というのも、妖怪は千年以上も昔に月に行った事も有ると言い伝えられている。その頃の人間と言えば、まだ星の意味も月の意味も判らなかった筈だ。それだけ妖怪の天文技術は優れていたのである。

　満月の日には妖怪たちの宴《うたげ》が行われたり、新月になると妖怪が大人しくなったり、妖怪にとって月は重要な天体の一つである。妖怪が月の研究を進めていた事は容易に想像出来る。

　しかし、この渾天儀に書かれた妖怪の星座の名前は、妖怪の研究が月だけではなく、数多《あまた》の星々まで幅広い物であった事を示唆《しさ》している。

　例えば、天の川は鬼神の河であり、そこから鬼の酒が地上に流れ込むとされている。河の近くで力強く輝くオリオン座の三つ星は、妖怪の伊吹童子《いぶきどうじ》座と呼ばれ、伊吹童子の三つの力――即《すなわ》ち、調和と有限、そして無限を示しているらしい。

　惑星はその明るさと不定な動きから、天狗の星と呼ばれる。あっちこっちをふらふらと動き、妖怪の輪を乱す存在とも読み取れる。

　妖怪の星座には、なんと彗星《すいせい》の記述も有る。しかも彗星の周期まで調べられているのだ。妖怪は永《なが》く生きられる為、人間より調査が容易《たやす》いという事も有るだろう。彗星は、妖怪の星座では忌星《いみぼし》と呼ばれ、妖怪の社会を脅《おびや》かす縁起《えんぎ》の悪い物らしい。

　また、一際《ひときわ》大きな文字で書かれているのは天龍《てんりゅう》座である。これは所謂《いわゆる》北斗七星の事だ。天龍は常にある一点を見つめており、いつか飛び出そうとしていると言う。その一点に在る星、それが北極星である。

　妖怪の星座では北極星は不動の星、つまり不動尊《ふどうそん》の夜の顔であり、不動尊――大日如来《だいにちにょらい》の化身だそうだ。大日如来は、言うまでも無く妖怪の力を無力化する太陽の権現《ごんげん》であるが、夜の世界でも妖怪の百鬼夜行を暴走しないように、北極星となって食い止めているというのだ。天龍はいつかその不動尊——北極星を食べて、昼の天も夜の天も支配してしまおうと企《たくら》んでいるらしい。記述によると、数千年の後に天龍は動き出し、その時妖怪の社会も大きく変化する、と予言されている。数千年後の話とはいえ、妖怪の先見性は人間のそれとは比べ物にならないから、気になる記述であるが……。


「ところで、そんなに詳しく説明して戴《いただ》いて無駄な時間な事こ上無いが、一つ聞きたい事が有る。この道具で星の位置と妖怪の星座を知る事が出来るのは判ったが、アレはどうなんだ？　夜空の主役の……」

「夜空の主役？　月の事か？　そりゃ月の位置も同様に測れるだろう」

　月は妖怪にとっても重要な天体である。夜空の主役は月に間違いないだろう。

「違うぜ。月じゃなくて……」

「月の他に主役を張《は》れる天体が在るのかい？」

「アレだ、一瞬で流れて消える一番目立つ星だ」

「一瞬で……もしかして流れ星の事かい？」

「ああ、そうだ。星の中では流れ星が一番好きだな。ついでに願い事も叶《かな》うし」

　なるほど流れ星か……派手な物が好きな魔理沙らしい。だがアレは違う、アレは天体ではない。

「流れ星は星ではないよ」

「流れ星だろ？　星じゃないか」

「流れ星とは……天を翔《かけ》る龍、天龍の鱗《うろこ》がはがれ落ち、光り輝いた物だ。だからこの道具では位置を調べる事は出来ないよ」

「ふーん、まぁ動くからな。測れないと思ったが、残念だ」

「どうして残念なんだい？」

「いつ流れるか判れば願い事も叶い放題だからな。他の星を研究する暇が有るのなら、流れ星の研究をした方が良い」

「暇だから研究している訳じゃないと思うけど……。まぁ確かに、流れ星はいつ落ちるか判らない。だが確実に見る方法は知っているよ」

「何だって？　それは本当か？　なら教えてくれ」

「一年に何度か、流れ星が大量に降り注ぐ日が有るんだ、その日に見れば一日で十……いや、百の流れ星を見る事が出来るだろう」


　——そうして、僕は魔理沙に流星群が見られる日を教えると、早速その日に魔理沙は霊夢を連れてうちで流星群の鑑賞会を行う事になったのだ。

　どれぐらい経《た》っただろうか。二人は十五個目の流れ星を数えていた。

「凄いぜ！　本当に百個くらい降りそうだな」

「そろそろ疲れてきたわね」

　そんな事は無い、と言って、魔理沙はさらに窓の外の天体ショーに食いついた。

「あ、十六個目。えーと、呪い呪い呪い」霊夢は呟《つぶや》いた。

「なんだそれは」

「流れ星が落ちてくる間に願い事を三回なんて、殆《ほとん》ど無理じゃない。だから願い事を出来るだけ圧縮してみたの」

「圧縮し過ぎだぜ。つーか、どういう願い事なんだか……」

「呪術系の願い事よ。魔理沙はどういう事をお願いしているの？」

「ああ、もっと力強い魔法が使いたいぜって」

　百の流れ星を見ると意気込んでいた二人だったが、流れ星が落ちない空きの時間がちょっとだけ長く続いた後、流れ星の数がよく判らなくなってしまい、その内疲れて二人は寝てしまった。そうして、第一回流星祈願会は幕を閉じたのである。

　――それから四、五年後の現代。


　僕は思い出の渾天儀《こんてんぎ》を眺めていた。あれから流星祈願会も毎年恒例となり、もう数回行われている。

　思えば、第一回の流星祈願会から、魔理沙は星に因《ちな》んだ魔法を使う様になった気がする。今では魔法の流星と言えば、魔理沙の一番のお得意技だ。さらに、毎年の様に流星群の日付を訊《き》

きに来ては、一人でも流星を見ているらしい。

魔理沙は天龍に魅入《みい》られたのだろうか。それとも、願い事が叶ったのだろうか。

同じ動きをする星々に逆らい、大きく強く光ってはすぐに消える。時には隕石となって地上まで届き、甚大《じんだい》な被害をもたらす力強さも持つ。そんな流星に何を見ているのだろうか。

「おー、妖怪の渾天儀か。懐かしいな、まだ持っていたのか」

「ああ、久々に取り出して眺めていた……って、何時の間に店に来てたんだい？」

「香霖が夢中になっていて、私が入ってきたのに気付かなかっただけだぜ」

「ちょっと昔を思い出してね……ん!?」

「どうした？」

僕は渾天儀に書かれた妖怪の星座を読み取っていた。ここには様々な妖怪が書かれていたが、気になる妖怪の名前を見つけた。それは星座の名前ではなかったが、一際《ひときわ》目立って見えた。

「……いや何でもない」

「何でも有りそうだな」

そうだった。千年以上も昔に月に行ったという言い伝えは、実は言い伝えでも何でもなく、妖怪本人の口から聞いた物だ。つまり、その妖怪はまだ幻想郷にいる。幻想郷にいて、未《いま》だに幻想郷を裏から牛耳《ぎゅうじ》っているのである。

この渾天儀に、その妖怪の名前が書いてあったのだ。しかも、制作者の名前として書かれていたのだ。

「どれどれ？　おおそこの文字なら何となく読めるぜ。『著作八雲……紫』？　げげ、渾天儀って、もしかしてあいつが作った道具だったのか？」

魔理沙は露骨に嫌な顔をしていたが、僕は妙に納得していた。何故《なぜ》なら、この文字が書かれていた所は星座の名前が書かれていた所である。それに、『制作』ではなく『著作』である。

「なぁんだ。この道具ってあの厄介《やっかい》な妖怪が作った物じゃん。何だか面白くないな」

「それだけ彼女は頭が良く、知識も豊富なんだよ。魔理沙も真摯《しんし》な気持ちで、彼女から学んでみても良いかもね」

「やなこったい。それにこの道具を作った程度なら、大して頭が良いとは言えないじゃん」

「君は謙虚さと推察力が足りないな」

八雲紫はこの渾天儀を作った妖怪、という意味ではない。恐らく渾天儀に書かれた妖怪の星座の著者、つまり、星座を作った者という意味だと思う。

そんな人物が未《いま》だに活動している幻想郷。今まで遥《はる》かに長い寿命を持つ妖怪の力を軽んじてみていたが、そう考えると薄ら寒い気持ちになった。

第二三話　流行する神

冬も中頃のこの時期になると、納戸《なんど》の引き戸ががたつき開け難《にく》くなる。熱を発する物の少ない納戸の上の屋根には、雪が積もり易《やす》いからだ。雪が積もればその分屋根は重くなり、引き戸は押さえ付けられて開け難くなるのである……という理由も有る。という理由も有ると言ったのは、もう一つ重要な理由が有るからだ。

それは秋の収穫まで外で活動していた穀物の神、穀霊が次の春の農事始めまで宿る場所が納戸だからである。ただの物置である納戸は、たちまち神聖な場所となり、その神々しさに引き戸が重く感じられるのである。

大黒様の様に台所に宿る神も居る。唯一の台所に宿るのではなく、料理を作る場所その物に宿っているのだ。

この様に道具だけではなく、様々な場所自体にも神は宿っている。ただし、神は感情や考え方と言った概念に宿る事は無い。必ず何処《どこ》かに宿っている物質や場所が有る。そこが神様と、妖怪や妖精、幽霊との決定的な差なのだ。

「おや、どうしたんだい？　いつもなら店でも大きな物音を立てずに行動出来ない君にしては、静かじゃないか」

黒ずくめの格好の魔理沙が、力なく歩いてるといっそう黒く、小さく見えた。

「ゴホッ。いつも静かなつもりだが……やっと辿り着いたぜ、ふう」

「風邪かい？　調子悪そうだね。温かい物でも飲むかい？」

白湯だけど、と言ってストーブの上のヤカンからお湯を茶碗に注いだ。

「ああ、すまない」と言って魔理沙は椅子に腰掛けた。

「風邪だったら、家で大人しくしていた方が良かったんじゃないか？」

「寝てれば治る普通の風邪だったらな。ゴホゴホッ」

「異常な風邪をひいているのか」

僕は余り普通の風邪をひいたりはしない。別段体が強い訳ではないが、風邪をひかないのには訳が有る。妖怪は人間と同じ病気に罹《かか》る事は殆《ほとん》ど無いからだ。人間には人間しか罹らない病

が、妖怪には妖怪しか罹《かか》らない病が存在するのである。ちなみに人間の病は体の病、妖怪の病は心の病が多い。

　そこで人妖である僕はというと……実は両方の病気に罹りにくい。だから風邪の魔理沙が訪れてきても伝染《うつ》る心配は無いのである。

「いやぁ、実はこれが風邪なのか判らないんだが……まぁ全身に力が入らないんだ」

「ふむ。生憎《あいにく》、僕は体は強くないが余り病気にならないんでね。症状を言われても、どんな風に辛《つら》いのかよく判らないんだよ」

「ああ、まぁ香霖に病気の診断を期待はしていない……ぜ。今回は見てもらいたい物があって来たんだ」

——カランカラッ

「霖之助さん、居るかしら？　ゴホッ」

「おや？　霊夢も風邪かい？」

「風邪かどうかよく判らないけど……全身に力が入らなくてねぇ」

　と言うと、来て早々、勝手に奥に上がっていった。奥には既に先客の病人が寝ている。

「既に奥で魔理沙が寝ているよ」

「そう、魔理沙も調子悪いのね」

「今日は病人が二人目だ。僕は簡単には風邪をひかないからね。医者でも始めようかな」

「……どのみち儲からないわよ。どうせ」

　それは僕を信用してくれる患者が少ないという意味なのか、それとも幻想郷に滅多に医者が必要になるような人間が居ないという意味なのか判らなかったが、二年程前から腕の立つ医者が現われ、それなりに繁盛しているという話を聞いた事が有る。後者の可能性は低い。

　その腕の立つ医者は、迷いの竹林に突如《とつじょ》として現われ、里の人間のみならず妖怪たちの病気をも治しているという。霊夢と魔理沙の二人の病状が手に負えない様だったらその医者を呼ぶ事も考えた方が良いかも知れない。

　それにしてもそんな調子の悪いという霊夢は、何故うちに来たのだろう。うちには薬も余り無いというのに……。

「ゴホゴホッ、今日は捜《さが》し物が有って来たのよ。欲しい物は骨董品だから……香霖堂が一番良いかと思って」

「骨董品の捜し物だって？　そんなの調子が良くなってから来れば良かったじゃないか」

「そんな訳にも行かなくて……その捜し物を見つけない限り不調は悪くなる一方だから」

「何か訳有りっぽいね。その異常な風邪は」

霊夢の話だと、里の人間の大半は既に同じ症状の風邪に罹《かか》っているそうである。風邪といってもそんなに咳《せき》が酷《ひど》い訳ではないが、全身から力が抜けて歩くのが辛《つら》いらしい。それにこの風邪は、人に伝染り易いのだそうだ。


「ゴホッ、捜し物は……小さな壺《つぼ》とか……何かそういった骨董品。出来るだけ古い方が良いわ」

「壺……？　巫女を辞めて、新しい宗教でも始めるのかね」

「あと重要なのは、未《いま》だ名前が付いていない物に限る事。ゴホゴホッ」


僕は霊夢が何を企《たくら》んでいるのかいまいち掴《つか》めなかった。調子が悪いというのにわざわざ店にまで来て、挙げ句の果てに名前の付いていない骨董品が欲しいだなんて……ってそう言えば、魔理沙も何か見せたい物が有ると言っていたが、今は寝ている様だから良いか。

「骨董品といえど、名前の付いていない物となると……かなり質が落ちる物が多くなってしまうよ。えーと……」

「神社に有る物でも良かったのかも知れないけど、私にはどれが名前が付いていない物なのか判らなくて……。ゴホゴホッ」

名前が付いているのかどうか、見て判るのは霖之助さんしか居ないでしょ？　と付け加えた。僕はそれを聞いて気を良くし、少し得意げに持ってきた骨董品の解説をした。

「例えば、これなんてどうだい？　時代は三百年は遡《さかのぼ》るお皿だ。実用の為だけに作られた物だが、出来は良くなかったので実際には使用されなかったらしい。その為、これと言って名前は付けられていない」

「うーん。出来ればもう少し古い物はない？　例えば千二百年くらい前の……」

霊夢はお皿を一瞥《いちべつ》すると細部を見るまでも無くそう言った。骨董品の出来よりも、古さだけが重要といった感じである。

「千二百年だって？　うーん、そんなに古い物はそうそう無いよ」

香霖堂は何でも屋でしょ？　出来るだけ古くて、それで名前の無い物が欲しいの。と言いながら霊夢は横になってしまった。道具屋とか骨董品屋とかは言った気がするが、何でも屋とは言った憶《おぼ》えは無い。

だが、一度得意げに解説してしまった手前ここで引き下がる事は出来ず、商品にならない様な物を仕舞《しま》ってある納屋まで行って、千二百年前くらいの品を探す事にした。重く冷たい納屋の扉を開けた時には、霊夢が何故そんな物を欲しがっているのか考えようともしていなかった。

「ふう。めぼしい物は見つからなかったが……霊夢、例えばこれなんてどうだ？」

そう言って、僕は掌《てのひら》より大きい位《くらい》の平べったい三角形の塊を見せた。

「これは、千年以上前の壺《つぼ》の破片だ。名前は無い」

流石にこんな破片だけでは骨董品としての価値は皆無だが、千年以上前くらいの古い物というと選択肢は無いに等しい。

「だが、この破片もただの破片ではない。元々は何かを封印してあったという曰《いわ》く付きの壺の破片だ。済《す》まんがそこまで古いとなると、こんなのしか見つからないんだよ」

「ゴホゴホッ。良い物を持ってるじゃない。流石《さすが》霖之助さんね」

ちょっと貸してと言って破片を取り出すと、玉串《たまぐし》を取り出し小声で語り始めた。何やら儀式でも始める様だ。僕には霊夢の狙いがまったく見えてこない。

「……伴善男《とものよしお》の神の声の聞こえん事を……」

珍しく、巫女らしい仕事をしている様に見える。恐らく、異常な風邪と何か関係が有るのだろう。霊夢は簡単な儀式を行い破片に御札を貼ると、一息を吐いた。

「ふう、これで一安心。これを里に持っていって廻《まわ》れば、皆《みんな》の病気も治る筈よ」

「ほう、それは良かった。だが、さっきから何をしているのかさっぱり判らない。詳しく説明してくれないか？」

霊夢は気分的に楽になったのか、謎の儀式を終えた後は調子を取り戻している様子で説明を始めた。

まず、この病気は人に伝染る病気なのだと霊夢は言った。同じ風邪でもたちの悪い風邪で、その伝染力は強く、近くにいるだけで伝染ってしまうらしい。何年に一度くらい、こういった原因不明の病気が流行る事が有るという。

人に伝染る病気は、一人だけ治療したところで埒《らち》があかない。完全に病気を鎮《しず》めるには、病気を起こしている祟《たた》り神を何かに封印する事が必要なのだという。

霊夢曰《いわ》く、病気が伝染る原因とは、その病気を持っている祟り神が猛威《もうい》をふるっている事である。その祟り神を見つけ出して封印し、祟り神を封印した事を病気の人に見せて信じてもらう事で病気が治るのだと言う。

「この様に、目前の目的の為に一時的な信仰を集める必要が有る神を、流行神《はやりがみ》っていうのよ。今回の件で言えば、病気を鎮《しず》める為に病気の神をでっち上げて信仰を集めて、本当の祟り神になってしまう様な神様の事」

「でっち上げ……なのか。病気の神としてでっち上げられてしまうなんて、災難な神様だな」

「今回の病気は、伴善男様と言う神様に祟り神の役をしてもらう事にしたわ。この神様は、ちょくちょく疫病の祟り神の役を受け持つの」

「それは酷いな。伴善男と言えば……実在の人間じゃないか。確か、千二百年位前の……」

「良いのよ。最初は疫病に対する恐怖心と、伴善男様の恨みの念の強さが重なってそうさせられたみたいなんだけど、今では『疫病が治るのなら、祟り神でも何でもやっちゃるよ』っていう感じで気軽に汚れ役を受け持ってくれる有難い神様よ。それに何だか暇そうにしていたので、今回頼んでみたの」

巫女と神様はそんなにフレンドリーな会話をするのだろうか。

神様の声の代弁者である巫女しか窺《うかが》い知れない世界である。

「名前の付いていない物が欲しかったのは、名前の付いている物には既に別の神様が宿っているからよ。名前の付いていない物で、さらに長い年月を経ている物が憑代《よりしろ》としては最適なのよ」

「なるほどね。人間の病気というものはそうやって治すものなのか……。ちなみに、さっき信仰を集めるのは一時的と言っていたが、病気が治ったら神様はどうなるんだい？」

「病気の恐怖が無くなって忘れ去られた神霊は、もう何の力も持たなくなってしまうわ。現に伴善男様だって一般的には神様という扱いは受けていないでしょ？　神社を建てたりする事も無いし。封印したこの破片だって……最終的には無縁塚に捨てられるわね」

「何だか、神様の使い捨てみたいな話で酷《ひど》いね」

「流行神って神はそういう宿命なのよ。基本的には忘れ去られている方が人間にとって幸せな事。それにしても封印していた筈の伴善男様が、何で暇そうにしていたのかしら？」

あー、何だか楽になってきたぜ、と言って上半身を起こした魔理沙が話に割り込んできた。

「寝ながら霊夢の話を聴いていたが、なんだ病は気からって事なのか？」

「そんな話はしてないでしょ？　病は神からよ」

魔理沙は「何となく、思い当たる節が有るんだ」と言って、自分の帽子に手をかけ、小さな古い小皿を取り出した。

「今日は、香霖にこの小皿を見て貰おうと思って来たんだが……実はこれを拾ってから何だか調子が悪くなってな」

「それはまた古いお皿だね。何か曰くがありそうな……」

「価値が有るかと思って拾ったんだか、何だか突然調子が悪くなったんで、二重の意味でも見てもらおうと思ってな」

「ふむ。これは特に名前は付いていないお皿だね。残念ながら大した付加価値は無さそうだが、物自体は古くて珍しい一品である事は間違いないな……」

霊夢はその皿をよく見ていて、不思議な表情をしていた。

「うーん。そのお皿、何処《どこ》かで見た事の有るお皿だけど……」

「ちなみに、この皿には最初は汚い御札《おふだ》が貼られていたからはがして綺麗にしたんだ。それからだな、調子が悪くなったのは」

——屋根の雪が落ちる音がした。霊夢が魔理沙に説教を始めてからどのくらい経《た》ったのだろうか。説教の内容ももう三巡はしている気がする。

「……あのねぇ、御札とか貼ってあったらやたらはがしちゃ駄目なの！　その小皿は無縁塚で拾ってきたんでしょ？　そんなもの何が憑《つ》いてるかあんたには判らないでしょうに」

「流行神《はやりがみ》が封印されているとか素人が見ても判らないぜ。そんな滅多な物、ホイホイと捨てんなよ」

「流行神は信仰が失われるまで、人里から離れた所に捨てる必要が有るのよ。それをわざわざ無縁塚まで出向いてあんたが封印を破ったから、伝染病が流行ったのよ？　判る？　何で伴善男様が暇そうにしていたのか判ったわ。あんたが封印を破ったのね」

「そんなに大きな声を出すなよ。病み上がり途中なんだから」

「ああもう。あんたが馬鹿な事をしたお陰で、里の家を一軒一軒訪ねて廻らないといけないじゃないの」


　霊夢が伝染病を治す為に、一軒一軒家を訪ねて祟り神に対する信仰を集める姿は面白そうだが……僕はそんなんで本当に伝染病が治るのか懐疑的である。祟り神の封印が病気を治すのであれば、僕が余り病気にならない理由や、妖怪と人間の病の種類が違う理由が説明付かない気がする。

　迷いの竹林に現れた医者はそんな神頼みの治療ではなく、もっと高度な治療を施すという。見た事も無い器具を使い、体の中を写真に写したり、痛みも無く患部を切り落としたり、時には駄目になった体の一部を正常な物と取り替えたりしてしまうらしい。

　それはそれで、この目で見た訳ではないので僕は懐疑的なのだが……本当だとすると、迷いの竹林に現れた医者は、幻想郷の医療の現状に嘆いて開業した、知識人、もしかしたら外の人間なのかも知れない。

第二十四話 うるおいの月

散り急ぐ桜の花は雪解《ど》けを迎えたばかりの大地を白く染めていた。暫《しばら》く暦《こよみ》を見る事を忘れていたが、外の景色から察するに四月はまもなく終わる頃か、もう五月に入っている頃だろう。今年の桜は咲くのが少し遅かった様に思うが、数日の誤差は異変でも何でもない。ただ単に、今年の冬は暖かい日がたまたま少なかった、というだけだ。桜の花は暖かい日のみ芽吹《めぶ》き、寒い日は蕾を堅く閉ざすのである。暖かい日が少なければ、桜が咲くのは先延ばしになってしまう。

ところで、幻想郷に残された数少ない文を読み解いてみると、百年以上前の幻想郷では、桜の咲いていた時期は三月の始めであると書いてある。現在の幻想郷では、順当に咲けば四月の終わりから五月の初めくらいである事から考えると、三月の初めとは随分と早い。という事は昔の冬の気温は、一月半以上も桜が早く咲く程《ほど》、今よりも遥《はる》かに暖かかったのだろうか？

勿論《もちろん》そんな事は無い、今も昔も冬は寒い冬である。桜が三月に咲いていていたのには別の理由が有るのだ。

✽

「――私だったら、散っている桜の花びらをすべて、撃ち落としてやるぜ」

「何よ、私だったら、散っている桜の花びらをすべて、避けてみせるわよ」

「そんな落ちて来るのが遅いもん避けたって、自慢にもなりゃしないな」

「何を言っているの。速い弾よりも遅い弾の方が避け難《にく》いって事も有るものよ」

何やら、霊夢と魔理沙の二人が不毛な言い争いをしている様だが、それも仕様がない。今日は花見をする予定の日だったのだが、中止になってしまったのだ。しかもその桜も、既に散り始めて緑色が目立つ様になっているから、もう今日で最後になるかも知れないという。

そんな貴重な桜も無情な雨の所為《せい》で花見をする事すら叶《かな》わず、こうして店の中で暇を持て余している状態である。花見の予定が狂った事と、悪天候で最後の花が散ってしまわないのかと気が気ではないのだろう。行き場を失った苛立《いらだ》ちが口から出て、

言い争いとなってしまっていた。

「花びらなんて柔らかいもん撃ったって、何の自慢にもならないわ」

「じゃあ、自慢すれば私が一番乗りだな。花びら撃って自慢したという」

「さて二人とも、言い争いはそろそろ止めようか。花見が終わって夏が近づいた、今年の桜の花を散らすのは春風ではなくて春《はる》雨《さめ》だった、それだけの事さ。何時までも不毛な言い争いをしてないで、もっと前向きに物事を考えていこうじゃないか」

「不毛だなんて失礼ね。私たちは、桜と私たちの新しい関係を模索していたの。前向きでしょ?」

「遠い未来を見通せる程《ほど》に前向きだぜ」

　言い方次第では前向きの様に聞こえてくるが、もっと近い未来、例えば今日、何をするべきか考えた方が良くないだろうか。

「私たちは過去を振り返らない程に前向きだけど、ちょっと前に紫が『幻想郷の桜は咲くのが遅くて良いね』みたいな事言っていたわよ」

「ん?　それはどういう意味なんだい?」

「『外の世界は急激に冬が短くなってぇ、今は三月中に桜が咲いて散ってしまうのよぉ』って言ってた」

　霊夢は妙にゆったりした口調で説明した。紫の真似《まね》のつもりだろうが……まったく似ていなかった。アレンジされ過ぎて誰なのか判らない。

「そ、そうか、それで彼女は冬が短くなった事について何か言っていたのかい?」

「『今年は二回も桜を楽しめた』ってさ。外の世界の桜と幻想郷の夜桜と」

　何故、幻想郷の方だけ夜桜なのかよく判らないが、外の世界と幻想郷で桜の咲く時期に違いが出てきても、妖怪にとって何ら不都合な事は無いのだろう。

「そうか、外の世界では三月には桜が満開になってしまうのか。余程、外の世界の冬は暖かいんだろうね。まぁそれはいいや。二人とも退屈そうだから、ちょっと不思議な話をしてあげよう」

　そう言って窓の方をちらりと見た。さっきより雨は小降りになっている気がするが、窓の外はしっとりと濡《ぬ》れていた。最後まで粘った桜の花もこの春雨ですっかり流されてしまうのだろう。

「不思議な話って何?」

「ちょっとした小ネタだけどね。外の世界の桜が咲くのが三月に早まったと言っていたが、昔は三月に桜が咲いていたんだよ。幻想郷でも外の世界でも」

「三月に咲いていた……って、一月以上も早く咲いていたって言うの?」

「それじゃ寒くて花見どころではないぜ」

「いや、実際には一月以上早く咲いていた訳ではないんだけどね。ただ単に三月に咲いていたというだけさ」

「何だよそれ。禅問答《ぜんもんどう》か?」

「旧暦《きゅうれき》だよ。今では殆《ほとん》ど面影はないが、百年以上昔は太陰暦《たいいんれき》を使っていたんだ。旧暦では三月は新暦《しんれき》の四月の終わりぐらいに当たるからね。旧暦を使っていた頃は、三月が桜の時期だったというだけさ」

「旧暦? ああ、旧暦ね」

「なぁ、前から気になったり気にならなくなったりしていたんだが、旧暦って何だ? それに何で新暦に変える必要が有ったんだ?」

——僕は、二人の為に塩漬けの桜を浮かべた桜茶を用意した。ゆっくりとお湯を注ぎ、器の中で桜の花が咲いたら飲み頃である。たとえ花の下に居る事が出来なくても、桜の花を楽しむ手段は幾らでも有るのだ。

「霖之助さんがこんなお洒落なお茶を用意するとは思ってなかったわ」

「で、旧暦とは何かって話だったよね」


「それと、新暦に変えなければいけなかった理由だな」

「旧暦というのは太陰暦の事で、月の満ち欠けを基準とした暦《こよみ》の事さ。太陰暦では月の満ち欠けが一巡して、新月から再び新月になるまでの二十九日から三十日を一ヶ月とし、さらに十二ヶ月で一年としたんだ」

「ああもしかして、一年をいくつかに分けた期間を『月』って呼ぶのは、それが理由なんだな」

「その通りだよ。それは新暦である太陽暦《たいようれき》に変わってからも、呼び名は変わっていない。だが現在使っている太陽暦は、一ヶ月が三十日から三十一日であるから、太陰暦の方が一ヶ月の日数が一日くらい少ない。旧暦の一年は、新暦の一年より十日余り短かったんだ」

「一年に十日ぐらい、誤差のうちだな」

「いやいや、そんな事は無いよ。一年に十日も違ったら大変だ。十年も経てば春に雪が降る。二十年も経て完全に夏と冬が入れ替わってしまうだろう」

「冬は暖かいな」

「冬が暑くなるんじゃない?」

「そんな感じで、だんだんと実際の季節と暦のズレが出てきてしまう。だから旧暦は、三年に一度くらいのペースで一年が十三ヶ月の年を設けたんだ」

「昔はたまに〈十三月〉が有ったという訳か」

魔理沙は桜茶を飲むタイミングを計っている。どのくらい待つと飲み頃なのか判らないようだ。ちなみに霊夢はとっくに飲み始めていた。

「いや残念ながらそれは違う。一年が十三ヶ月あったとしても、十三月という月は無かったんだよ。ではどうしたかというと、季節のずれが一番大きな月の後ろにおまけの月を追加したんだ。三月が寒くなって来て『これはもう二月の寒さだな』と感じられるようになった時に、三月の次の月も三月とした」

「そんな感覚的なもんなのか？　滅茶苦茶だな」

「勿論、実際には厳密な計算から求められるんだが、計算なんてのは感覚を数値化する為の道具に過ぎない。すべての計算の裏には感覚が有るんだ」

「でも、同じ月が二回有るってのはややこしくないか？　十三月の方が直感的だぜ」

「二回目のおまけの月は、閏《うるう》月と呼んで正当な月とは区別した。例えば二回目の三月は、閏三月と呼んでね。旧暦から新暦に変わった理由だけど、この閏月という物が余りにもややこしかったし、季節の巡りと一致しないのは何かと不便だったからなんだ。だから、一気に現在の新暦である太陽暦が広まったんだ」

「へぇ、昔の人は難しい事を考えて暦を作ったのねぇ。人じゃなくて妖怪かしら？　何で最初から今の暦を使わなかったのかなぁ」

「太陰暦の方が、妖怪にとって都合が良かったからだろう。何日は新月だ、満月だと日付ですぐ判るからね。人間の持つ技術が進むにつれて、月が太陽に押されて次第に変わっていったんだろう」

「でもさぁ、幻想郷では妖怪の方が多いじゃないの？　新暦《しんれき》に変える必要なんて有ったのかなぁ」

「幻想郷で新暦を使うようになった理由は、外の世界が新暦を使う様になったから、ただそれだけだよ。隔離されたとはいえ、外の世界と同じ暦《こよみ》じゃないと何かと都合が悪いからね。太陽暦《たいようれき》自体は別に幻想郷で生み出された暦ではないんだ」

「そりゃそうだろ。妖怪が月を使うのを止めて日を選ぶなんて、よく考えなくてもおかしいしな」

「そんな感じで要望が無かったのに無理矢理変わってしまったので、幻想郷の妖怪は未《いま》だ新暦に馴染《なじ》めない奴らも居るっていう話だ。さらに言うと、幻想郷には妖怪が作った独自の太陰暦《たいいんれき》が存在するらしい」

――二人は、不毛な言い争いをしていた頃とは打って変わって、機嫌を良くして僕の話を聞いている様である。

「妖怪の太陰暦、妖怪太陰暦。月の満ち欠けだけでなく、月の光の色と縁の周期を一月《ひとつき》とした暦で、人間が考案した暦より遙《はる》かに自然現象を読み取る事が出来る暦だそうだ。季節だけでなく地震や火山などの災害や、竹や笹の花の咲く時期、そういった物も周期に組み込まれているらしい。つまり日付を見ただけで、後どのくらいで竹の花が咲くとか判ってしまう」

「凄いな、それは。そこまで色々判るのなら、その暦を人間でも取り入れればいいじゃないか。確実に便利になると思うんだが」

「だが、この暦には人間が使うには大きな問題が有る。何故《なぜ》なら一日の長さが今の一日じゃない。というか、一日という単位が存在しない。最小単位が一月なんだ。人間の一日に合わせると、新月は夜中で満月は昼間みたいな感覚だな。それに暦が一周するのは六十年という長い期間だし……妖怪は寿命が長いからそれでも良いかも知れないけど、いくら何でも、寿命の短い人間には不便極まりないだろう？」

「ふーん。一日を嫌い、一月を選ぶ。妖怪はそこまで月に依存しているって訳か。だが、妖怪《あいつら》がそんな暦を使っている所を見た事が無いぜ」

「作ってみたものの、結局殆《ほとん》どの妖怪は使っていないんだろうな。山の妖怪なんかは今でもそれを使っていると聞いているが……。ちなみにその妖怪太陰暦でも、閏《うるう》月と同じ役目をする月は存在する。ただし、閏月という呼び名ではなく普通に十三月と呼ばれていて、この月がある年は特別妖怪の力が強まる年らしい。妖怪が強くなる年って事で、人間にとって十三は不吉な数字だと言われている地方も有るらしいんだ」

「十三が不吉だなんて、聞いた事も無いな。十三年に一度の蝉の話は聞いた事が有るが……」

「その話は僕がしたんだよ。ま、十三が不吉な数字って話はこの辺りでは余り聞かれないね」

　僕が持っている妖怪太陰暦に関する知識はこの程度の物だ。これ以上詳しく聞かれても憶測でしか話せないので、お茶を淹《い》れに席を立った。桜茶を淹れてしまうと外の桜の事を思い出して、また二人が不機嫌になってしまうかも知れないので、普通のお茶を淹れた。

　僕の知っている事をあらかた出し尽くしてしまったので、会話が途絶《とだ》えてしまった。静寂を破ったのは、霊夢の素朴な疑問の声だった。

「ところで霖之助さん。閏月や閏年の『閏』って何の事？　他の会話で『うるう』って言葉が出てくる事なんて殆《ほとん》ど無いんだけど……」

　何事も当たり前と思わずに、細かい事でも疑問に思う事は大切な事だ。人間の成長は知識を増やす事と直結している。それは過去を良く知り、過去から現在、さらには未来を知る事に繋がる。

「閏かい？　えーと、うむ、閏ってのは、本物ではない、って意味がある大陸の言葉だったかな。三月の後にある二回目の三月は本物ではない三月という意味で閏三月と呼んだのさ。大陸の言葉だから、妖怪太陰暦には閏の字が使われていない。それで、閏という字が閏月とかの暦以外で使われていない理由だが、この言葉が太陰暦自体と合わせて入ってきたからだろう。元々、この国には閏という概念は無かったんだ」

「なるほどねぇ」

「だが、閏という字は大陸では『うるう』とは読まれていない。閏が『うるう』と読まれるようになった理由だが……これがまたいい加減な話でね。閏って漢字が大陸から入ってきた時代に、それに対応する日本語は存在して居なかったので誰もこの漢字を読む事が出来なかったんだ。そのうちに、この字は潤《うるお》うに似ているから『うるおう』と呼ばれるようになってしまった。閏三月は、うるおう三月とかね、いい加減なもんだろう？　さらに『うるおう』じゃ言い難かったもんだから『うるう』に訛《なま》ったのさ。だから、うるうという読みには最初から何の意味もない。

　この言葉が他の会話に殆ど出てこないのも、こういう経緯が言葉だったからなんだ」

「形が似ているから『うるおう』、さらに言い難いから『うるう』……ほんといい加減ね。霖之助さんはそれで良いの？　物の名前には人一倍五月蝿《うるさ》い人でしょう？」

「言葉というのは一人歩きする。それに関しては僕がどうこう口出しするものじゃない。それに僕はこの『うるう』という読み

は気に入っているんだ。潤《うるお》いの年、潤いの月が有るなんて、原義の本物ではない月、よりずっと美しいだろう？」
「潤いの月ね、桜の咲いている時期に潤いの雨は要らないけどねぇ……って、雨が上がっているじゃないの！」

——窓の外はいつの間にか晴れ上がり、雲間から光が漏れていた。二人は諦めかけていた花見が出来るという事で、随分とはしゃいでいる。桜の花はまだ残っているのか判らなかったが、この二人にとっては宴会さえ出来ればどっちでも良いのかも知れない。

「今夜は霖之助さんも花見に参加するんでしょう？　これで今年最後の花見になるだろうし、それに、潤いの桜も美しいしね」

「いつも言っているが、僕は外で宴会する事は好きじゃないんだよ」

「ふん、何を言ってるんだ。散々話を聞いてやったじゃないか。そのお返しに花見ぐらい参加しろよ」

　僕は理不尽な要求をされたが、今夜は花見に付き合ってもいい気分だった。春雨にも負けないで花を付けている桜が有るとすれば、その花は一見の価値が有ると言えるだろう。雨露を蓄えた潤いの桜は、潤いの月の光の下で美しく散る、そんな美しい世界を想像し、僕はお酒が呑みたくなった。

第二五話 神社の御利益

山には山の神、河には河の神。この地のすべての物や場所に神様は宿っている。手元にあるこの本も、拾い物の半導体《はんどうたい》も例外ではない。

だが、神様の中には神社に祀《まつ》られる特別な神様も居る。この神様とその他の神様は何が違うのだろうか？　実はそこには大きな差は無い。ただ単にその神様が人気が有るか無いかだけである。

人間にとって御利益《ごりやく》が有る神様は人気が有る。祀らないと祟られる神様も居るが、そういった祟《たた》り神も祀る事で祟りを避けられるから、人気が有るといえば人気が有る。

そういう神様にだけ神社が存在する。神社の存在は人気の有無というすべて人間の都合で決まっている訳だが、神様にとってもまったく無意味ではない。

というのも、神様の力量は人間の信仰心の量で決まるのである。例えばお稲荷さんや天神様の様に人間にとって大人気の神様は、神社を数多く造る事で、元の倉稲魂命《うかのみたまのみこと》や菅原道真《すがわらのみちざね》であった存在より遙《はる》かに強大な力を持つ事に成功している。

反対にどんどん人々が信仰しなくなってしまうとどうなるのかと言うと……神様は力を失い、そして誰もその神様の事を憶《おぼ》えていなくなった時に消えてしまったのと同然になってしまう。神様は信仰を集める事に努力しないと、存在すら危《あや》ぶまれてしまうのだ。

「――何で、うちの神社に妖怪が多過ぎるんだろう」

「だから、人間の参拝者を増やさないと、神様は妖怪を追い払うだけの力を身に付けられないんじゃないか」

「でも、妖怪が居たら人間が寄り付かないじゃない。それじゃあどうしようもない」

「確かに、目に見えて判る悪循環だね」

巫女である霊夢が、仕事もしないでうちに遊びに来ている事も問題の一つだと思う。それでも昔は参拝客は今ほど少なくなかったし、妖怪も近寄らなかった。今のようになってしまったのは、現役の巫女である霊夢の責任であると言わざるを得ない。

彼女も気にしているのか、今回は信仰を取り戻す為の相談に

うちに来たのだと言う。

「まあ、信仰が減っても妖怪退治をしている事には変わりないから、うちの神社としては良いのかも知れないけど」

「霊夢、それは違う。信仰が失われる事は神社としては致命的な事だよ」

「そうねぇ、お賽銭《さいせん》が入らないもんねぇ」

「いやいやそんな単純な理由じゃない。信仰が失われるという事は、神様の力を失うという事だ。これでは別の悪霊が神社を乗っ取ってしまっても抵抗する事が難しくなってしまうよ」

「うーん、と言ってもねぇ……。どうしたらいいのかなぁ」

「神社から妖怪を追い出したいのなら、例えば、最終手段としてこういう方法がある」

「って、いきなり最終手段しか無いのかしら。まあ良いけど、どういう方法？」

「それは新しい神様に頼るという方法だ。今の神様は諦《あきら》めて、人気の神様に神社に来て頂いて信仰心をあやかるんだよ。博麗神社の神様は殆《ほとん》ど名も知られていない神様だし、御利益《ごりやく》もよく判らない。これでは参拝者も来なくなるし、信仰心は失われても仕方がないだろう」

「神社に祀られている神様を変えるって？　そんな事して良いの？」

✽

「それに関しては何も問題は無い。日本の神様は分霊《ぶんれい》と言って、神霊を無限に分けても力は変わらない性質を持っているんだ。その神様の力を、そっくりそのまま神社に持って来る事が出来る。分霊を頂く事を勧請《かんじょう》と言うが、これは外の世界では日常的に行われている事だよ」

「へぇ、新しい神様ね。それはそれで気分転換にもなるし面白いかも知れないわ。お酒の神様とか勧請すれば、御利益も判りやすいし信仰心も集まるかもね」

「お酒の神様なら、浅間《せんげん》さま、すなわち木花咲耶姫命《このはなさくやひめのみこと》を勧請するとかもいいね。この神様は、通常は山の神様だが酒の神様でもある。非常に美しい女神という事もあって非常に人気の高い神様だよ。神社の名前は判りやすく、博麗浅間神社に変えるとか」

「うーん。名前を変えるのは何となく気が進まないわね……」

「祀られている神様が変わっても、人間がそれを知らなければまったく意味が無い。だから、普通は名前も合わせて変えるもんさ」

――カランカラン

「おう。梅雨だっていうのに今日は雨が降っていないな。せっかく晴れているから雨乞いでもするか」

「相変わらず意味が分からないよ、魔理沙」

「雨が降っていないのに何の話をしてるんだい？」

「神社の大切な相談をしていたところさ」

「神社の相談？　霊夢、あの妖怪神社に何か有ったのか？」

　その妖怪神社と呼ばれている事に問題が有るのだが。

「やっぱり参拝客が少な過ぎてねぇ。お賽銭も狸の入れた葉っぱばっかりだし……」

「なんだそんな事か。大丈夫だぜ、その葉っぱの大半は狸じゃなくて私が入れた物だ」

「何が大丈夫なものか、霊夢が言っている事の問題は、狸に誑《たぶら》かされている事なんかじゃない。参拝客が居ないという事は、信仰心を失っているという事だ」

「別に神様なんか頼らなくても妖怪は倒せるぜ……って事は、神社って何の為に有るんだろうな」

　信仰心が足りないと神様や神社はどうなってしまうのかと言う事を、面倒だったがもう一度魔理沙にも説明した。

「なるほど。確かに神社が別の変な妖怪に乗っ取られてしまったら面倒だな。でも参拝客を増やしたかったら、簡単な方法が有るぜ」

「何かしら？」

「大きなお祭りをやれよ、博麗神社例大祭《れいたいさい》とか。そうすれば祭り好きな人間が集まってくるだろう？　足りなかったら毎週お祭りをすればいい。博麗神社に足りないのは人を惹《ひ》き付ける魅力だよ。毎日宴会してばかりじゃ、わざわざ人間が参拝に来る筈が無いだろう？」

　魔理沙の言う事も一理有る。人間は自分に都合の良い神様しか参拝しない。人間の生活が豊かになればなる程《ほど》、神社は不要な物となっていくだろう。だとしたら、お祭りの様な人間向けのイベントも必要かも知れない。

「うちで例大祭をやっても、どうせ妖怪ばっかが集まるわよ。妖怪が居たら人間も集まらないでしょ？」

「まぁな、お祭り騒ぎが大好きな妖怪ばっかだからなぁ」

「まあそういう事で、今は神様を勧請《かんじょう》するかとか考えていたのよ」

「はあ？　かんじょう？　何だそれは」

　魔理沙に、勧請とは祀《まつ》ってある神様を変えるという事を説明した。

「それで勧請したら、今現在神社に居る神様はどうなるんだ？」

「最初は一緒に祀られたままになるわ」

「最初は、ってどういう意味だよ」

「忘れられてしまえば、自然と消えてしまうって事よ」

「何だって？　消えてしまうって!?」

——さっきまで夏の様子を見せていた窓の外が若干暗くなっ

た。まだ夕方までは時間が有るので、きっと雨が来るのだろう。

梅雨の本領発揮という所か。

「神社の神様が消えてしまうだって？　そ、それはちょっと……

霊夢はそれでも良いのか？」

「それをやらないと神社自体が消えてしまうかも知れないのなら、吝《やぶさ》かでもないかなと」

「ところで、博麗神社の神様って何だっけ？　悪霊……は違うよな」

「余り記録が残っていないのよね。昔に悪霊に取り憑《つ》かれた事は有ったけど……」

　神社の巫女ですら知らない神様なんて、信仰心が失われて当然である。

　ただそれも仕方がない。幻想郷では神様は自然の中に普通に存在していた。その為、神社の様な特別な場所は余り必要ではなく、神様にお願いしたければ何処《どこ》でも良かったのだ。

　幻想郷には神社は、博麗神社の一つしか無いと言われている。つまり神社はユニークな存在であり、博麗神社の事をただ単に神社と呼ぶ事が多い。神社同士を比較する事も無いが故《ゆえ》に、神社で神様を祀っている事すら忘れがちである。

　案の定、幻想郷の人間は神社の存在価値を見いだせなくなっていた。


「まぁ二人とも、神社の今後の判断は霊夢に任せるしかないよ。

ただ一つ言える事は、博麗神社は幻想郷の境界という重大な役割も持っている。神様が誰であれ、それだけは変わらないんだ」

「でも、神社の御利益《ごりやく》がよく判らないのは大問題よね」

「というか、御利益なんか有るのか？　お賽銭入れても何も変

わった気がしないぜ」

「そりゃ葉っぱ入れても御利益《ごりやく》は無いわよ。うちにも何か御利益の有る神様も祀った方が良いのかしら。やっぱりお酒の神様という事で木花咲耶姫命《このはなさくやひめのみこと》かな」

　お酒の御利益が有ってもお酒を造る人しか喜ばない。お酒を造っている人なんて少ないと思うのだが。

「ところで素朴な疑問だけど、神様は何で祀《まつ》ると御利益が有るの？　神様もその辺の妖怪も余り差は無いでしょ？」

――店全体が暗くなった。本格的に雨が降り始めたようだ。

魔理沙は窓の外の天気が気になるのか落ち着かない様子だったが、霊夢は純粋に疑問に思っている様である。

「君は巫女なのに不勉強過ぎるね、修行も嫌いだと言って余りやらないし。お酒ばっか呑んでいないで少しは勉強も修行もしないと神社の危機は免《まぬが》れないよ」

「だからこうやって勉強してるんでしょ？」

「まあいい。この際だから教えてあげるよ、神霊を祀ると何故《なぜ》御利益が有るのかを」

「はいはい」

「すべての物には神霊は宿ると言うが、厳密に言うとその言い方は間違いである。すべての物に宿るのではなく、名前が付けられる前の物体が神霊である。名前の無い物体が神霊そのもので、それに名前を付ける事で神霊の力の一部を借りる事になるんだよ」

「そう言えば、そんな様な話を前に聞いたような気がするわ」

「前に言ったかもね、確か骨の石の時だったかな？　まあそれは良いとして、神霊は妖怪と違って常に二つの性格を持っているんだ」

「妖怪は大体単純なのが多いし、一つしか性格を持っていないから二倍も違うわね」

「その二つの性格はそれぞれ、和《にぎ》と荒《あら》と呼ばれていて、このうち和が人間に対して優しい性格だ。これが通常、御利益と呼ばれるもの」

「ええ？　性格が御利益？」

「神霊はすべてのものの元だって言っただろう？　神霊の性格はものの性格なんだ。だから神霊の感情と力がそのまま物質に現れる。お酒の神様が力を持てば、自然とお酒も良いお酒になるって事さ。ちなみに、和にはさらに二つに分かれて、幸《さき》と奇《くし》という性格に分かれる。幸は人の心をみたし、奇は知識を授ける。これをまたまたお酒の神様に例えて言うと、幸はお酒の味や香りを良くし、奇は新しいお酒の技術を授けてくれるって訳さ」

「和、幸、奇……どれも良い事ずくめね。これは本格的に木花咲耶姫命を勧請《かんじょう》しようかな」

「ま、木花咲耶姫命以外の神様も、それぞれ御利益といえる性格を持っているさ。だが忘れてはいけないよ、神霊には和とは別のもう一つの性格が有る。それが荒だ」

「あらあら」

「荒は神霊の怒りであり、祟りとなって現れる部分だ。お酒の神様でいうと荒の性格がもたらす作用とは、お酒が不味くなるどころか、毒に変化したり同じ場所で二度とお酒を作る事が出来ないような自体になりかねない」

「それは嫌ねぇ。神様は怒らしてはいけないって事なのね。で、神様には必ず和と荒の二つの性格が存在するの？」

「程度の差はあれ存在するよ」

「穏やかな性格だけの神様は居ないのかぁ」

「神霊、つまり幻想郷に存在するすべてのものには、良い面と悪い面の二つの面が有ると言う事さ。でも、荒の性格が悪いものと言う訳ではない」

「お酒が不味くなるのなら悪いものでしょう？」

「とんでもない。荒の性格こそが神霊の本当の力さ。この荒を祀る事で、悪い面から人間を守る事に繋がるんだ。つまり、お酒造りを邪魔する外敵からお酒を守ってくれるのさ。結論を言うと御利益というのは、荒の性格を鎮め、和の性格に感謝する事で神様の力を増す事を言うのさ」

「ふーん。よくみんな神頼みって言うから神様が一人一人の願い事を叶《かな》えて廻るのかと思ったけど……そうじゃなかったのね。本当は、神様の力が増す事自体が御利益に繋がっていたという訳かぁ」

「神様を喜ばせれば、人間にとっても御利益が有る。退治をすると人間が喜ぶ妖怪と違う部分はそこさ」

「それは……神社にとって気楽で良いわね」

　昼間とは打って変わって窓の外は暗くなっていた。梅雨らしく雨が降っていたので、霊夢も魔理沙もうちで夕食を食べる事になった。

　そんなつもりは無かったのだが、昼間にお酒の話ばかりしてしまったので今日は様々なお酒を呑む事にした。

「う〜ん。このお酒も浅間《せんげん》さまの御利益《ごりやく》なのねぇ」

「って事は、このお酒も浅間さまの御利益だな！」

「二人とも呑み過ぎだよ」

「浅間さまにかんぱ〜い」

　神社が存在して人間の願い事を聞く事は、別に神様のお仕事でも何でもない。願い事を言ってもらえるだけで信仰心が集まるので、神にとっても都合が良かったからだけである。だから、人間は神社に行って少ないお賽銭《さいせん》で、自分勝手な事を神様にお願いしても構わない。神霊は気楽に幻想郷を楽しんでいるだけの、妖怪の一つなのだから。

第二十六話 八雲立つ夜

入道《にゅうどう》が乗っているといわれる夏の雲がひとしきり雨を降らせたと思うと、昼間の暑さを奪って何処《どこ》かへ行ってしまった。雨露に濡《ぬ》れた月の光が窓から差し込んでいる。

霊夢と魔理沙の二人は昼から店内に居たのだが、突然の夕立の所為《せい》で帰る事が出来ずに今夜は店で夕食を取る事になった。

「最近、紫の様子がおかしいのよ。もぐもぐ」

「あいつの様子がおかしいのは今に始まった事ではないぜ。もぐもぐ」

「二人とも、口に物を入れている時ぐらい喋るのを止めたらどうかね」

今日は一人で食事をするつもりだったから夕食は質素な物だった。そもそも僕は余り食事を取らないのである。夕食と言っても精々、お新香をつまみにお酒を呑む程度である。そもそも人妖である僕には、食事は愉《たの》しむ為にするだけであり生命維持の為に行うのではないのである。お酒が美味しく呑めれば、それで十分なのだ。

だが霊夢と魔理沙の二人はそういう訳には行かず、何か食べ続けないと力尽きいつか倒れてしまうだろう。幸い酒の肴《さかな》は塩分が高い物が多くご飯にも合う。お米と塩分さえ有れば暫《しばら》くは元気が出せるであろう。

「紫の様子がおかしいって、あの妖怪、八雲紫の事かい?」

僕はあの妖怪が苦手だ。外の世界の物を扱うちとしては、外の世界と幻想郷を分けている彼女にお世話になっているのだが、近くに居られると常に何か見透かされている気がして落ち着かない。

「最近、紫が私に稽古《けいこ》を付けたりして、何かおかしいのよね」

「霊夢に稽古? ……妖怪が? 変だね、妖怪が妖怪退治の専門家に稽古を付けさせるなんて……。それは確実に何か企《たく》らんでいるっぽいな。それで霊夢は何か対策を取っているのかい?」

「だから紫が何を企んでいても大丈夫な様に、しっかりと稽古する事にしたの」

「まぁそれしか無いと言えば、それしか無いけど……」

それはどのみち、紫の言う通りに動く事になっている。

幻想郷が幻想郷たる所以《ゆえん》は、八雲紫の境界を操る力が有るからである。彼女がその力を以って外の世界と幻想郷を別《わ》けているのだ。幻想郷で彼女に逆らえる妖怪は殆《ほとん》ど居ない。人間の力が及ばないのは言うまでもないだろう。

「……八雲、紫か。自ら『八雲』って名乗るぐらいだから、どうあがいても『巫女は彼女の言いなりになる』しかないだろうね」

食事を終えたので月を眺めながらお酒を呑む事にした。昼の暑さを夕立《ゆうだち》がすべて流し、お陰で涼しい夏の夜となった。お月見には最適な夜であるのだが既に霊夢と魔理沙の二人は入り口前の特等席に陣取《じんど》っていたので、僕は後ろで立って呑む事にした。

「あーそういえば神社に洗濯物干しっぱなしだったわ。さっきの夕立大丈夫かなぁ」

「いやまあ、大丈夫な訳が無いぜ。店から出られないくらいの雨だったんだからな」

「そうねぇ、もう一度洗わないとね。ところで霖之助さん、さっきの話の続きなんだけど……何で『私が紫の言いなりになるしかない』の？」

「ああ、だって八雲紫って名前がすべてを表しているだろう？」

僕は物を見ただけで名前が判る能力を持っている。その事もあってか名前に関してはちょっと五月蠅《うるさ》い。

物に付けられた名前には大きく分けて二種類ある。それは『物の性質を表す名前』と『物の性質を決定付ける名前』である。

前者は物の色や形等の見た目や、他の物とは異なる特徴、道具の場合などは用途で命名した物である。道具や動植物、自然物などは殆《ほとん》どこのパターンである。

後者はまだ性質が定まっていない物や、ただ単に他と区別したいときなどに名付ける物である。人名や妖怪の個人名や、商品名などはこちらである。この場合は最も命名の力が大きく働く。だから人間の性格等は名前で大きく変わってくる為、名付けの親は様々な意味を持たせるのが普通である。決して口に出した時の語感だけでは命名しないものだ。

「八雲紫の『紫』は虹の最も外側の色だ。虹というのは雄の龍と雌の龍の通り道として二つの輪っかがセットで現れるんだが、お互いの外側の色が紫なんだ」

「確かに、虹って良く見ると二つ見えるときが有るけど……色の並びは覚えていないわ」

虹が現れる時は、良く見ると比較的はっきり見える内側の虹と、その外側に薄い虹の二つが掛かっている事が多い。それぞれの虹の色の並び方は異なっている事は余り知られていない。

内側の虹は下から順に紫、藍、青、緑、黄、橙、赤の順に並んでいるが、外側の虹は下から赤から紫の逆順に並んでいる。つまり、二つの虹を纏《まと》めて見ると下から順に見て紫から赤になり、赤からまた紫に戻る形になっているのだ。虹と空の境界は必ず紫色なのである。

「それだけでも自分の名前が境界を暗示しているだろう？　それともう一つ、『八雲』の方だが……言葉の意味だけ取ると八雲とは『幾重《いくえ》にも重なった雲の事』である」

「言葉の意味だけってどういう意味？」

「と言うのも、八雲という言葉は単体で使われる事は少ないんだ。八雲とは神々の地の出雲に掛かる言葉である事が多いんだ。彼女の場合は恐らく『八雲立つ　出雲八重垣《いずもやえがき》　妻《つま》ごみに　八重垣作る　その八重垣を』の八雲を取っていると予想できる」

「何よその呪文」

「これは素戔嗚尊《すさのおのみこと》が詠《よ》んだ和歌だよ。何とこれが日本で最初に詠まれた和歌だと言うのだから驚きだろう？」

「へぇ。素戔嗚尊って荒々しいイメージだったけど歌を詠んだりしてたのねぇ。それでどういう意味の歌なの？」

「内容はもの凄くシンプルで『幾重にも美しい雲が重なる出雲の国に、我が妻である奇稲田姫《クシナダヒメ》を隠れ住ます為に八重垣（幾重にも重なった厳重な垣根）の家を造ったぞ』って感じのものだ」

「……えーっと、家を造ったってだけ？　歌としてはどうなのかしら」

「まあ初めての和歌だからね。八重垣を繰り返して言う所なんか、家を作った事で浮かれている感じが歌に表れていて良いじゃないか」

「馬鹿っぽいとも言えるけどね」

　巫女が神様に対して馬鹿っぽいと言うのも如何《いかが》なものかと思うが……。

「結論を言うと八雲紫という名前は、境界を意味する下の名前と併せて『神様を閉じこめる堅固な囲《かこ》い』を表しているんだ。神様を巫女に置き換えればまさに幻想郷の構図だね。紫は決して幻想郷から巫女を逃がそうとはしない」

　霊夢は黙ってしまった。思い当たる節は幾らでも有るのだろう。

　このまま黙ってお酒を呑んでも美味しい事は美味しいが、それ以上の楽しみが無いので僕の方から新しい話題を振る事にした

「さっきの和歌だけど、口に出してみるともう一つの側面が見えてくるんだよ」

「八雲立つ……　えーっと何だったか忘れたぜ」魔理沙がそう言ったので、僕はもう一度復唱した。

「『八重垣』が何度も出て来てリズム感が有って詠んでて楽しい

だろう？　それに、その八重垣はすべて最初の八雲の『や』に掛かっているんだ」

「や、や、や……確かにやかましいくらいだけど。何でそんな事したのかしら？」

「勿論《もちろん》この事に意味が無い訳が無い。この『や』は八が持つ本来の意味を暗示しているんだよ」

「本当かしら？　で、どういう意味なの？」

「それは天照大神《あまてらすおおみかみ》から身を隠すのに最適な『夜』と言う意味だ」

風が冷たくなってきた。先ほどの夕立《ゆうだち》で湿った地面が乾き始め、それと同時に熱を奪われた空気が動き始めたのだろう。僕は燃料《おさけ》を追加した。燃料は体を冷やし過ぎないのと同時に、飛躍的過ぎる程《ほど》の新しい発想力を生む。平常心では新しいアイデアは常識レベルを超えないからだ。

「実は、八という数字は夜と密接な関係が有るんだ。八も夜も『や』と読むだろう？」

「それだけだと、焼き肉も夜になるぜ。ま、普通は夜か。でもそれだけじゃあ偶然じゃないのか？」

「八と夜だけならそう思うのも仕方がないだろう。だが不思議な事に、他の国の言葉でも八と夜は殆《ほとん》ど一緒の読みなんだよ」

「そうなの？　流石《さすが》に他の言葉はよく知らないけど」

「英語の『エイト』と『ナイト』、ラテン語の『オクト』と『ノクト』、ドイツ語の『アハト』と『ナハト』……他にも世界の言語の多くが八と夜が似ているんだ。これでも偶然かい？」

「ふーん、外の世界の国の事はよく判らんがな。ま、どうして八と夜の言葉の読みが似ているんだ？」

「これには諸説有って、残念ながら正確な理由は誰も知らない」

「何だよ、持ち出しておいて理由は判らないのかよ」

「何しろ他の国の言語は語源に関しても調べる事が多過ぎて単純じゃないんだ」

魔理沙は不満そうだったので、今度調べておくよ、とだけ答えておいた。

「でも、日本に限って言えば理由は想像付く。日本では『八雲』、『八重垣』、『八百万《やおよろず》の神』と、八とは単純に個数が八つと言う意味ではなく、数が非常に多いと言う事を示している事も有るのだが……その用途に使われる時は必ず『や』と言う読み方をする事に注目したい」

「坂の多いと言う意味の『八坂《やさか》』、幾重にも花びらが重なった『八重桜《やえざくら》』、多くの首を持つ『八岐大蛇《やまたのおろち》』……。確かに、多いという意味の時も読み方は『や』ね」

「これらの言葉は、漢字が当てられる前から存在していた古い言葉なんだ。今の日本語では、数が多い事を八とは言わないよね」

「八人前で大量に持ってこられても困るぜ」

「結論から言うと、数が多い『や』に八の字を当てたのは、八が大きい数だったからに過ぎない」

「八が大きい数？　もっと大きい数なら幾らでも有るぜ？」

「いや、一桁の数字で考えると九が最大だが、八も九に次いで大きな数字だ。でも九は久、つまり永久を意味し、昔から無限を表していた。漠然と多いという状態は有限だから、感覚的に無限よりは少ない事が判る。だから、九の一つ下の八の字を『や』に当てた、と言った感じじゃないかな」

「ふーん。元々八は『や』とは読まなかったと言うのね？　それが夜と何の関係が？」

「八ではなく夜が『や』だったんだよ。非常に多いと言う言葉に夜を当てたんだ」

　それだけではない、日本の数字の呼び方にはもっと多くの秘密が隠されている。

「何で非常に多いという言葉が夜なのかしら？」

「今夜みたいな、月の明かりだけが頼りの夜に空を眺《なが》めて見ればいい。何で夜が非常に多い、と言う言葉になったのか判ると思わないかい？」

　数刻《すうこく》前に夕立《ゆうだち》を降らせた雲の姿はもう何処《どこ》にも見あたらなかった。その代わり、幻想郷の夜は無数の星で埋め尽くされていた。お酒を呑むのを忘れて星空を眺めた。空に流れる銀色の河は、すべての星の数を数え上げようとした無謀な挑戦者の野望を打ち砕くのに十分過ぎた。

　それとは対照的に昼の空に浮かぶ太陽は無二の存在であった。天照大神《あまてらすおおみかみ》、つまり太陽が最高神として崇《あが》められる様になるのは当然の結果であろう。

　夜には無数の星が浮かんでいた。まるで太陽から身を隠さなければいけない者たちのか細い光の様だった。満天の夜空は、人間の存在が太陽に比べるとちっぽけなものだという事を感じさせられると同時に、太陽に負けた妖怪たちの切なさも表している様だった。

「何にしても、紫が何を企《たくら》んでいても大丈夫な様に修行するしか無いのね」

「ま、そういう事になるかな。霊夢にとっても稽古になって力が付くのなら良い事だし、それに……」

　紫に敵《かな》う訳が無いのだから、逆らう理由も無いのだ。

「うん。取り敢えず神社に帰ったら、新しい修行のメニューでも考えるかな」

「その前に、夕立で悲しい事になっている筈の洗濯物を再度洗濯するのが先だぜ」

「うう」

「大体、夏に夕立なんて付き物だ。昼間晴れていようと、外に洗濯物を出したまま長時間家を離れるなんて不用心過ぎるぜ」

「洗濯物は濡《ぬ》れてるんだから、雨で濡れても似たような物だし」

「まあそうかも知れんけど」

「いやいや、そんな事ばかりしていると服が傷んでしまうよ。そうじゃなくても君たちの服は弾幕で寿命が短いんだから、洗濯ぐらいはちゃんとした方が良い。物を大切にしないといけないよ」

「はいはい。明日は乾くまで神社を離れないわよ。夏の日差しなら一眠りもすれば乾きそうなもんだしね」

「眠っていたら留守なのと変わらんがな」

　数字の一は『ひと（つ）』とも読める。一二三を『ひぃふぅみぃ』と数える様に、一は『ひ』である。それは言うまでも無く日、つまり太陽の事だった。日本の数字は、太陽に始まり『ふぅ（風）』『みぃ（水）』と空、大地と経て、夜まで繋がっている。日本の数字は九までで森羅万象を表しているのだ。

　数字一つとっても言葉とはこれだけ深い意味を持っている。だからという訳でもないが、名前に数字を含める事は深い意味を隠しやすく、強力な妖怪ほど数字を名前に含めたりするのだ。

数字を、ただの個数を表すだけの言葉だと思ったら大間違いである。そう思って周りの物を見てみると良い。巧妙《こうみょう》に隠された秘密が見えてくるかも知れない。

第二十七話 幸運のメカニズム

　ここに賽子《さいころ》が一つ有るとする。この賽子を机の上に投げた時、賽の目は誰にも予想出来ないだろう。

　例として投げた賽子の目が一だったとする。では、もう一度同じ賽子を投げた時はどうなるだろうか。

　勿論《もちろん》普通に投げたら何が出るのか判らないので、ある条件を付けるとする。条件とは賽子の初期条件を一致させる事、つまり位置、角度、力の入れ具合もまったく一緒にすると言う条件である。

　するとどうなるだろうか？　賽子は一回目と同じ様に回転しながら空中を舞い、そしてまったく同じ時間にまったく同じ角度で机の同じ場所に当たり、同じ様に跳ねるだろう。初期条件をまったく同じにする事は妖怪ならば出来ない事も無いが、人間の手では難しいかも知れない。その場合はそういう装置を作っても良い。

　これならば、賽の目は再び一になる筈である。この事実が何を意味するかというと、何らかの拍子で世界に存在するあらゆる物体が、過去の一点とまったく同じ状態に陥《おちい》ったとしたら、そこから歴史が繰り返されるという事である。その瞬間から予定された未来が訪れる。さらに言うと、繰り返された歴史の最後には、必ずもう一度今の状態に戻ってくる事も予定されているのだ。もしかしたら世界は既に何度もループしているのかも知れない。

　――カランカラン
　店の扉がいつもの様に来客の音を立てたのは、ある作業をしている途中だった。日常がループしているかいないかを確かめる為に必要な作業だ。
　それは日記を書く事である。二、三年前から書き始めた日記は、分量にして既に数冊分になっていた。日記とは、僕が見てきた幻想郷の仕組みを書き留めた物であり、有り体に言えば後の歴史書である。
　妖怪は人間より圧倒的に寿命が長い為か、余り幻想郷の歴史を纏《まと》めようとしない。それは常に人間より優位に立てるという利点と、自分に都合が良いように歴史を変えたいと思っているのだろう。人間は歴史から様々な物を学ぶのだが、妖怪はその選択肢を意図的に奪っているのだ。

里に住む妖怪たちは、毎日の生活を楽しむ事しか考えていない。山に住む妖怪たちは、同じく山に住む同士たちの為だけに歴史を創る。里に住む人間は歴史を纏《まと》める余裕など無い。これでは幻想郷の歴史はまだ動き始めていないのと同じである。

僕は人間と妖怪の為に日記を書いている。僕の日記はそのまま幻想郷の歴史書となる予定である。それが幻想郷に住む妖怪と人間のありきたりの生活に吹く、新しい風となる筈だからだ。


「——いやぁ、今日は大漁《たいりょう》だったぜ。こんな日は二度と無いかも知れないな」

「何を大げさに言ってるのよ。ここん所毎年こんな感じじゃないの」

魔理沙と霊夢の二人が、帽子や肩に掛かった落ち葉を払いながら店に入って来た。

数年ほど前からだろうか、季節の変わり目になると何故《なぜ》か幽霊が増加するので、この時期に霊夢たちが幽霊を片付けて回るのが恒例行事の様になっていた。

毎年繰り返される幽霊増加、僕にはかすかに覚えが有る。やはりこの世界は繰り返しているのだろうか。

「どうだい、今回の幽霊退治は。少しは幽霊は減ったかい？」

「それが今回も幽霊退治三昧《ざんまい》よ。毎年増える一方なんだけど……何か対策した方が良いのかなぁ」

「実害が無いのならば放っておけばよい。幽霊は、陽気で身が軽いから宴会騒ぎを見つけると集まってくるんじゃないか？」

「実害なら有るぜ」

「何だい？」

「幽霊は食べられない」

あれは六十年以上前だっただろうか……今と同じように幻想郷に幽霊が増加した時期が有った。幻想郷はその当時から変化する事を放棄し、平和な生活を築いていた。

安定した状態で且《か》つ変化を嫌い、今のままで在り続けようとする状態を『平和』という。今の幻想郷は六十年前のあの頃と同じ様な『平和』な状態にある。六十年周期で歴史を繰り返す……つまり、これから六十年先までの未来はすべて懐かしいものなのかも知れない。

「この店に幽霊ホイホイとか無いのかしら？　置いておくだけで幽霊が捕らえられる様な何か……」

「うーん、幽霊を捕らえるったって、幽霊はとりもちにはくっつかないからなぁ。それに箱だろうが何だろうがすり抜けるし……」

「でも、とてもじゃないけど退治しきれないのよ。このまま幽霊が増え続けたら、この世はあの世になってしまうかも知れないわ」

「大丈夫だよ。暫《しばら》くしたらこの幽霊騒ぎも収まる。そういう未来が予定されているんだ」

霊夢は怪訝《けげん》な表情で僕を見た。

「霖之助さんも、吸血鬼や妖怪たちと同じ事を言うのね」

巷は幽霊が異常発生したと言われているが、この店に出る事は少ない。そもそも幽霊は騒々しい処《ところ》に集まりやすい。幽霊自体が儚《はかな》くて今にも消え入りそうな存在だからであろうか、自分の存在を実感しやすい賑《にぎ》やかな場所に集まる。それは生きていた時の人間と同じで、人の多い処に集まるのだろう。

「未来が予定されているって言うけど、そんな訳ないぜ。毎日の生活が運だけで成り立っている様な奴も居るしな」魔理沙が霊夢を見てそう言った。

「まぁ運だけというか勘だけど、勘《かん》だって何らかの根拠が有っての勘なのよ」

魔理沙が信じられない、といった顔をした。

「宴会でちんちろりんやったときも、勝負にならないくらい賽《さい》の目を当てるじゃないか。そんなのに一体どういう根拠が有るって言うんだよ」

ちんちろりん？　ああ、賽子《さいころ》の目を当てるだけの単純なゲームの事か。宴会で賭博とは極道の世界の様だ。

「魔理沙、霊夢が賽の目を確実に当てる事が出来るのは、きっと予定された未来を瞬時に計算しているからだと思うよ」

賽子の目が決定されるメカニズムに対する僕の考えを伝えた。霊夢は恐らく、賽子の初期状態を見て直感で結果が計算出来るに違いない。世の中に有る幸運とはそういうものだ。

「霖之助さんそれは全然違うわ。幾ら何でも賽子見ただけでそんな計算出来っこないわよ。計算高い人は確率でしか考えないじゃない。それに、たとえ計算してもその結果通りにはならないの」

「何故そう思うんだい？　確かに計算出来る訳が無いってのはそうかも知れないが、もし計算出来たら未来が読めるって事になるじゃないか」

霊夢は呆れた様な顔をした。

「運に関しては私の方が数段理解が深いみたいだから、今日は私が教えてあげるわ。確率のメカニズムを。あとついでに未来が予定されていない事も……」

そういうと霊夢は三人分のお茶を淹《い》れ、嬉しそうに手渡した。

霊夢の勘の良さの理由が聞けるのであれば楽しみである。僕はお茶を冷ますのも忘れて口に運んだ。

「……ほう。霊夢は初期条件がまったく同じになった賽子《さいころ》ですら、同じ目が出るとは限らないと言うのかい？」

「当然そうなるわね。それだけで結果が決まる訳が無いじゃない」

霊夢の話は難しい話ではなかったが、そこに衝撃的な真実が含まれていた。

霊夢曰《いわ》く、この世界は三つの層から成り立っているのだと言う。

まず、生き物や道具などがある物理的法則に則《のっと》って動く物理の層。物体が地面に向かって落下したり、河の水が流れたりするのがこの層である。

二つ目は心の動きや魔法や妖術などの心理の層。嫌な奴に会って気分を害したり、宴会を開いてわだかまりを解いたりするのがこの層。大抵の妖怪はこの物理の層と心理の層の理だけで世界を捉えているから、歴史が繰り返したり、未来が予定されているといった戯《ざ》れ言《ごと》を言うのだという。

だが霊夢曰く、三つ目の世界の層が世界のループを拒《こば》むらしい。その三つ目の層とは、万物が出来事を覚える記憶の層。記憶の層は増える一方で減る事が無いから、過去とまったく同じ状態には成りえない。もしそれが過去と同じ状態になるのだとすれば、過去と同じになったという記憶は行き場を失ってしまうから矛盾している。記憶の層は増える一方なのだ。

物理の層が物理法則で、心理の層が結果の解釈で、記憶の層が確率の操作を行う感じで、相互に作用して未来を作る。記憶が過去の一点と同じになる事が有り得ない以上、未来が予定される事など無いという。

例えば賽子を一回振って一が出たとする。もう一度まったく同じ条件で賽子を落としても、一が出たという事実を賽子が覚えている以上、同じ確率になるとは限らないという。

そこまで聞いて理解しようとしていた所で「それで、どうして賽の目を読めるって言うんだ？」と魔理沙が質問した。

僕は霊夢が考える新しい世界の図に気を取られていたが、魔理沙は冷静だ。賽の目が読める様になれば、ちんちろりんで負けないだけでなく、霊夢並みの幸運を手に入れられるかも知れないからだろう。

「別に私は次に出る賽の目を読む訳じゃないわ。私が賽の目を予想したという事を、賽子が覚えているの」

賽の目の記憶に霊夢という幸運のカードが入るだけで、結果が大きく霊夢側に偏《かたよ》るのだという。結果が霊夢に付いてくるらしい。

「何だそれじゃあ、そんな知識、幸運の持ち主以外役に立たないじゃないか」魔理沙はふてくされた。

僕は世界の中で運の存在を何か嘘くさい、いかがわしいものだと思い込んでいた。それは未来が予定されていると考えていた事が大きな要因である。縁起《えんぎ》物だって、ただのこじつけの塊だと認識していた。

だが、霊夢の言葉を聞いてこの世における運の存在を再確認した。運の良い人間、悪い人間は確かに存在する。験《げん》を担《かつ》ぐ事で成功する人間も居る。ジンクスに囚《とら》われ失敗する人間も居る。それらすべて初期条件だけと考えるのは確かに乱暴かも知れない。

確率の決定が記憶の力によるものだとすれば、縁起物が確率を操作する力を持つのも当然なのかも知れない。由来が複雑で奇異である程《ほど》、記憶は多岐《たき》にわたり縁起物の格が上がるのもそれを意味している。

霊夢は『この世の物質、心理はすべて確率で出来ていて、それを決定するのが記憶が持つ運』だと付け加えた。

その言葉を聞いて思い出した事がある。『この世の物質はすべて確率で存在しているというのは既に常識である』という様な事が書かれた外の世界の科学書を見た事があった。その本を見て、僕は『誰がその確率を確定するのか』が判らず、いまいち理解出来なかった事を覚えている。

でも、霊夢が同じような事を考えていて、さらに確率の決定権が記憶にある事に気付いていた。それは驚くべき事だった。

「記憶が確率を決定する……言い換えれば因果応報《いんがおうほう》とも言える、凄いね。確かにその通りかも知れない。ところで君はどうやってそんな知識を身に付けたんだい?」

いつも無為《むい》に暮らしている風に見えるけど、と付け加えそうになったが、話をスムースに進める為に止めた。

「もの凄く頭の良い人間に聞いたのよ」

「もの凄く頭の良い、って言い方って何だか頭悪そうだぜ……」

魔理沙が呟《つぶや》いた。

そんな世界の根源にまで関わるような事まで判る人間が居るのだろうか。

「妖怪にとって歴史が繰り返されていると感じる理由は、単純に人間じゃないからよ。人間は短い期間で記憶の糸が途絶えるの。だから妖怪から見て人間は、生まれてから死ぬまで同じ事を繰り返している様に見える、ってだけ」

霊夢は「霖之助さんみたいにね」と得意げに語っていた。いつもとは立場が逆なだけに、少し悔しい。

「その、もの凄く頭の良い人間は、記憶をすべて本に書き留《と》めて代々受け継いできた家系なの。だから、永《なが》く生きてきた妖怪にも、記憶の少ない人間にも判らない世界が見えてくるんだって」

随分と長話をしていたようだ。既に窓の色が夕方の色に変化していた。外の紅葉が部屋の中まで染み出してきているみたいだった。

「ところでもう日が沈むが、今日は何か用事が有って来たんじゃないか？」

「ああ、そうだった。今日来たのは他でもないわ」

「幽霊もあらかた追っ払ったし、これから神社で宴会するんで、香霖もどうか？　って誘いに来たんだったな」

なるほど、それを言うだけで随分と時間がかかったもんだ。最初に用件を言わないからうっかり長話をしてしまったじゃないか。

「誘ってもらって嬉しいが、僕はやらなければいけない仕事が有る。それにちんちろりんをやったって、霊夢には敵《かな》いそうにないしね」

「仕事って、その本を書く事か？」魔理沙は僕の日記を指さして言った。

「そうだけど、ま、店自体も仕事なんだけどね」

「まだ日記を書いてたのか。三日坊主になると思ったんだがな」

「これは日記だが、いずれ歴史書になるんだよ。簡単には止めるわけにはいかない。香霖堂発、人間の知識を豊かにする歴史書さ」

ここ数年の間、紙の入手が容易になってから書き始めた日記が結構な分量になっている。僕はこれを一つの本という形にして記録を残すつもりでいる。その本が幻想郷の歴史書となり、幻想郷のアカデミズムが急激に動き出すだろう。そして幻想郷は外の世界に近づき、未来は安泰《あんたい》な物となる（それと同時に自

分の書いた本が売れれば店も安泰である)。

今日はさらに、ランダムから事実が決定するメカニズム、何《な》故《ぜ》人によって幸不幸の差が有るのか、そんな事実を知っている人間が居る事など……珍しく霊夢から物を学ぶ事が出来た。『記録ではなく記憶が未来を決定する』事も自分の本に書き留める事にしよう。そして、それを読んだ人の記憶がその人の運命のメカニズムに作用すれば、未来は予想出来ないものになるだろう。人間は妖怪も考えつかない未来へ進み、妖怪も明日何が起こるのか判らないといった、人間と同じ未来の楽しみ方を味わう事が出来たら幸いである。

——外はすっかり暗くなっていた。今頃霊夢と魔理沙は神社で宴会をしているのだろう。いつもの面子《めんつ》で、いつもの様にお酒を呑んで、いつもの様に賭け事で霊夢が勝って、いつもの様に呑み過ぎてしまう……。

でも、決して世界はループはしていない。何故なら、霊夢も魔理沙も妖怪たちも、人間と妖怪のハーフであるこの僕も、その事を記憶しているから。その記憶が毎日を少しずつ楽しくしていくのだから。

後書き

初めまして、ZUNです。

連載雑誌が何度か休刊になったり、形態が雑誌からWebに変更になったり、出版社が変更になったりしても何故か連載が続いた不思議な小説、『東方香霖堂』がようやく一つの本になりました。中には同人誌に寄稿した物も含まれています。この『香霖堂』が初めての小説です。

ゲーム本編と同時進行でストーリーが進行していたので、連載当時じゃ無いと理解しにくい部分もあるかも知れませんが、それも想像しながら楽しんで頂けると幸いです。今、読み直してみると『香霖堂』が初出の設定やネタが多いことに気付きます。自分が細かいアイデアを整理するのに丁度良い小説だったのかも知れませんね。

特にそれぞれの話を通した大きなストーリーという物は無く、特に最終話でも終了した感じになっていません。香霖堂を中心とした幻想郷の人間達のやりとりは、今も同じように続いています。気が向いたら続きを書ける形になっていますので、機会があればまた書いてみたいですね。

戦闘（体を動かすの）が苦手で家から出るのが億劫、大勢が集まっているところに顔を出すのが面倒。理屈っぽくて人を馬鹿にする態度を取る。そんな嫌われやすいが、人によっては親近感を得るような霖之助の一人称で進むこの小説は、書くのが非常に楽しかったです。何というか、霖之助の性格は他人とは思えないんですよね。

第十七話「洛陽の紙価」の時から霖之助は本を書き始めています。丁度その頃に単行本の話が持ち上がり、第一巻として出る予定でした。勘の良い方は気付いたかも知れませんが、霖之助が書いている本と単行本と結びつけるつもりだったのです。しかし単行本が出る前に出版社が倒産してしまい、直後に今のアスキー・メディアワークスさんに拾われ、何とか連載継続という形になりました。その際に単行本の企画は完全にリセットして、一からやり直しとなってしまった為、ここまで発売が遅れてしまいました。まあ、ここまで雑誌が変更になっても連載が続いた事だけでも奇跡だというのに、何とか単行本を出すことが出来まして安心しました。

ちなみに、霖之助が言っている蘊蓄の殆どは彼の妄想です。真に受けないようにね。よく読むとメタ的な妄想も多いですけどそこはギャグだと思って。

上海アリス幻樂団　ＺＵＮ（香霖堂は何故か冬の描写が多い気がする）

【初出一覧】

〈第一話〜第九話〉

Colorful PUREGIRL2004年2月号〜10月号（ビブロス）

〈第十話〜第十一話、第十三話〜第十五話〉

magazine elfics vol.001 〜 vol.006（ビブロス）

〈第十二話〉

『霊偲志異2』（サークル「twirl-lock」）

〈第十六話〜第十八話〉

elnavi（ビブロポート）

〈第十九話〜第二十七話〉

電撃萌王 2006年8月号〜2008年2月号（メディアワークス）

東方香霖堂

~Curiosities of Lotus Asia.

初版発行● 2010年9月30日

著者● ZUN

挿絵● 唖采弦二

発行者● 髙野潔

発行所● 株式会社アスキー・メディアワークス

〒160-8326 東京都新宿区西新宿 4-34-7 住友不動産西新宿ビル 5 号館

電話 03-6866-7306（編集）

発売元● 株式会社角川グループパブリッシング

〒102-8177 東京都千代田区富士見 2-13-3

電話 03-3238-8605（営業）

装丁・本文デザイン● やまざきももこ

スペシャルサンクス● 板倉大佑、佐藤心

印刷・製本● 共同印刷株式会社

ISBN978-4-04-868501-6 C0076